AIMER ET ÊTRE AIMÉ

DÉJÀ PARU DANS LA MÊME COLLECTION

Dr Paul HAUCK

COMMENT RÉSOUDRE VOS PROBLÈMES
VOUS-MÊME

14.

Aimer et être aimé

Traduit et adapté de l'anglais par
Paul COUTURIAU

ÉDITIONS DU ROCHER
28, rue Comte-Félix-Gastaldi, Monaco

Titre original :

HOW TO LOVE AND BE LOVED

© 1983 The Westminster Press.
© Éditions du Rocher, 1984.
ISBN 2-268-00306-X

PRÉFACE DE L'ÉDITEUR

Nous nous trouvons confrontés à de multiples problèmes quotidiens. La vie moderne n'est pas avare de difficultés. Mais nous avons sans doute trop tendance à chercher des solutions à l'extérieur de nous-mêmes. Ne sommes-nous pas, dans bien des cas, les premiers responsables des entraves qui nous empêchent de nous épanouir totalement ?

Les ouvrages de cette collection mettent l'accent sur notre responsabilité et sur notre nécessaire prise de conscience. Ils sont rédigés par des thérapeutes expérimentés, possédant une connaissance théorique et pratique du sujet abordé. Ils posent clairement les problèmes, sans rien laisser dans l'ombre, et offrent à chacun les premiers éléments de solution. Il s'agit, avant tout, de *conseils pratiques*.

SOMMAIRE

SOMMAIRE

*Pour Jacqueline Hauck
et Robert Fielding
Je vous dédie ce livre
pour vous remercier de tout l'amour
que vous avez dispensé à vos parents.*

PRÉFACE

Vous désirez être aimé ? Vous désirez aimer ? J'en suis convaincu. C'est notre plus cher désir à tous. Il est donc permis de se demander pourquoi tant d'individus éprouvent des difficultés à vivre ensemble. Que faire pour surmonter ces problèmes ? Comment établir et préserver des relations amoureuses ?

Ce livre entend répondre à ces questions. Mon intention en l'écrivant est de vous aider à vivre mieux. Nous étudierons la théorie de la réciprocité de l'amour, la théorie du mariage-contrat, ainsi que les « désordres amoureux » qui sont à l'origine de nombreux problèmes. Nous envisagerons les trois règles de la coopération, du respect et de l'amour et les quatre options qui se présentent à vous lorsque vous devez affronter une frustration. Nous considérerons également les pensées qui perturbent vos relations : les douze idées irrationnelles dont vous devez vous libérer. Nous découvrirons enfin les mesures radicales qui s'imposent parfois en dernier ressort.

Mais, surtout, nous apprendrons à aimer et à être aimé.

I

LE PROBLÈME DE L'AMOUR

L'amour est *le* sentiment que nous désirons tous connaître. Nous lui consacrons les meilleures années de notre vie et jamais nous ne nous en lassons. Le besoin d'amour est souvent insatiable. Plus on en a, plus on en veut. Il engendre des sentiments d'une intensité rare. Jamais on n'oublie une première rencontre. Amour est souvent synonyme de bonheur. Hélas, amour est aussi synonyme de malheur. Combien d'individus ne se sont-ils pas tués par amour ? Combien d'individus n'ont-ils pas tué par amour ? L'amour est omniprésent au cœur et à l'esprit de tout un chacun. C'est le sujet le plus souvent traité par les chanteurs, par les poètes et par les prosateurs.

Privé d'amour, un enfant meurt. Privé d'amour, un adulte perd son équilibre. L'amour est un sentiment puissant mais particulièrement instable. Il nous pousse à exprimer le meilleur de nous-mêmes — le pire aussi. Bref, l'amour compte parmi les sujets les moins bien compris.

Mais alors ? Qu'est-ce exactement que l'amour ?

Mon expérience de psychologue m'a amené à rencontrer bien des personnes dont la vie amoureuse ou les relations conjugales étaient perturbées. J'ai été incapable pendant des années de comprendre nombre de ces problèmes. J'avoue que je manquais de références philosophiques sur lesquelles me fonder. Ma sensibilité s'est toutefois affinée au fil des ans. J'en suis arrivé à percer les mystères de l'amour et du mariage. J'ai élaboré des théories et j'ai consacré plusieurs écrits à la question.

Ma première constatation relève du lieu commun, elle n'en est pas moins significative. La source de problème principale des êtres humains est… l'amour. D'aucuns me consultent parce qu'ils se sentent déprimés, agressifs, anxieux, jaloux ou encore apathiques ; ces états sont dus dans certains cas à des problèmes professionnels, à des difficultés liées à l'éducation des enfants ou à des soucis financiers. Le commun dénominateur le plus fréquent est toutefois une déception amoureuse ou un mariage qui bat de l'aile.

Les désordres amoureux

L'amour est probablement le sujet le plus méconnu. Voici quelques exemples qui illustrent combien la complexité des problèmes qu'il pose échappe à des êtres pourtant intelligents et cultivés.

J'ai regardé récemment une émission de télévision. Un psychiatre écoutait attentivement une femme lui exposer ses problèmes de couple. Il prit un air inspiré, posa sa main sur celle de la dame et lui répondit doctement : « Je crois, chère Marie, que ce dont vous avez besoin c'est d'un enfant. » Je croyais au début de ma carrière que ce genre de conseil appartenait au folklore. Mes patients m'ont appris qu'il n'en était rien. Combien ne m'ont-ils pas confié que leurs amis, leurs médecins ou le ministre du culte leur avaient tenu des propos semblables. Ceci signifie clairement, selon moi, que ces « conseilleurs » ignorent tout de la dynamique d'un mariage. Il est rare qu'un enfant soit la solution aux problèmes conjugaux. Il est absurde d'imposer la charge d'un enfant supplémentaire à une femme qui éprouve déjà des difficultés à vivre avec les précédents et avec son époux. Un mari, qui déserte le domicile conjugal en raison des problèmes liés à sa femme et à ses enfants ou des soucis financiers, se trouvera conforté dans sa position en apprenant que sa femme est une nouvelle fois enceinte.

Croire qu'un enfant consolidera un ménage précaire indique une incompréhension totale des problèmes conjugaux et une incapacité à les résoudre. L'adage affirmant que « les conseilleurs ne sont pas toujours les payeurs » se trouve donc confirmé.

L'amour, le mariage sont deux *problèmes* face auxquels nous nous trouvons le plus souvent décontenancés. Qu'il nous suffise de soulever deux questions que nombre d'individus se posent et auxquelles aucune étude, aucune réflexion n'a jamais permis de répondre : « A quel âge devrais-je me marier ? », « Qui devrais-je épouser ? ». La réponse dépend en fait plus du cœur que de l'intellect. On entend souvent dire que l'homme est capable d'aller sur la lune mais pas de guérir un simple rhume. Il est tout aussi vrai qu'un père ou qu'une mère sont toujours incapables de conseiller leurs fils ou leurs filles quant à l'âge auquel il est raisonnable de se marier, ou quant à l'identité de la personne à laquelle ils ou elles doivent lier leur destin pour connaître un bonheur serein et inaltérable.

Il me paraît essentiel de prendre enfin conscience de la place réelle qu'occupe l'amour dans nos vies. L'amour est-il le plus noble de nos mobiles ou le plus mesquin ? N'ayons pas une attitude aussi extrême. Ce sentiment occupe en réalité une position médiane.

Abraham Maslow, un psychologue qui formula une théorie de la motivation, prétend que nous réagissons à cinq motivations. Les plus fondamentales sont les plus fortes. Lorsque nous les avons satisfaites de manière raisonnable, nous nous intéressons à l'ensemble de motivations suivantes, jusqu'à atteindre le dernier niveau. Voici ces cinq ensembles présentés par ordre d'importance :

1. Les besoins physiologiques.
2. Les besoins de sécurité.
3. Les besoins d'amour et de possession.
4. Les besoins d'estime.
5. Les besoins d'auto-actualisation.

Il est incontestable que les besoins physiologiques sont les plus fondamentaux. Lorsqu'une personne a faim, froid ou soif rien ne compte pour elle hormis se nourrir, se vêtir, et étancher sa soif. Ces besoins étant satisfaits, elle cherchera à se protéger des éléments et des dangers qui l'entourent.

Viennent alors les besoins de possession et d'amour. Et pourquoi n'en serait-il pas ainsi ? Nos besoins internes sont satisfaits, notre environnement est relativement maîtrisé, nous pouvons maintenant songer à trouver un partenaire avec qui partager notre intimité. Nous avons tous besoin d'affection, de compagnie, de satisfaire nos appétits sexuels.

Notez toutefois que ce besoin d'amour n'apparaît qu'en troisième position sur la liste et non en première comme l'imaginent tant de personnes. Nous aurions l'impression, en regardant autour de nous, que tout ce qui intéresse les gens c'est l'amour, encore l'amour, toujours l'amour. S'il en est ainsi c'est que les besoins physiologiques et les besoins de sécurité de la majeure partie des individus sont satisfaits, de sorte qu'ils ne s'en soucient plus. Je puis toutefois vous assurer que si nos réserves alimentaires étaient menacées ou si un séisme détruisait nos habitations nous ne songerions pas en priorité à danser. Nous nous inquiéterions de trouver un abri.

Le besoin d'estime ne se manifeste que lorsque nous nous sentons aimés et appréciés. C'est à ce moment que nous envisageons de nous épanouir, de démontrer notre valeur, de prouver au monde notre indépendance, et notre liberté. C'est également à ce stade de notre vie que nous recherchons le prestige, la reconnaissance et l'attention.

Les derniers besoins mentionnés sur la liste de Maslow sont ceux d'auto-actualisation. Ils correspondent à nos désirs de nous réaliser pleinement. L'auto-actualisation est la réalisation complète et totale de notre destinée intérieure.

Cette échelle de priorités nous aide à mieux apprécier le rôle vital mais non prééminent de l'amour. Le besoin d'amour est une phase temporaire dans notre évolution qui nous aide à accéder à des motivations supérieures telles que l'estime de soi et l'auto-actualisation. Ce n'est ni la motivation la plus forte ni la plus faible. C'est un réquisit aux motivations supérieures, qui perdra de son importance lorsqu'il nous aura permis de nous élever aux quatrième et cinquième niveaux. Nous ne nous préoccupons pas tous les jours de trouver de la nourriture nécessaire à notre subsistance, de même nous ne recherchons pas tous les jours des preuves de notre valeur (être aimé et apprécié) une fois que nous avons dépassé ce stade.

Il est un dernier point sur lequel j'aimerais insister pour vous montrer combien est limitée notre compréhension de cette condition humaine : l'amour est un terme qui ne figure pas parmi la terminologie des diagnostics psychologiques. Je considère que c'est une erreur.

Quel nom donneriez-vous à l'état dans lequel se trouve un individu intelligent, équilibré, agréable voire beau qui succombe soudainement à la dépression, qui devient pleurnicheur, jaloux et qui caresse des idées de suicide ? Nous avons tous traversé de telles périodes perturbées ou tout au moins connaissons-nous quelqu'un qui s'est trouvé dans ce cas. Nous pourrions tous citer des exemples d'individus qui étaient prêts à bouleverser leur vie pour l'homme ou la femme de leurs rêves, tant ils étaient fous d'amour. Lorsqu'un étudiant brillant vient nous trouver dans un état d'esprit suicidaire parce que sa petite amie l'a plaqué, avons-nous affaire à un cas de dépression simple ? S'agit-il d'un problème de personnalité et d'adaptation à long terme ? Je ne le crois pas. Nous nous trouvons en présence de ce que je nomme un « désordre amoureux ».

Un *désordre amoureux* est un état très pénible ou au contraire vivifiant qui s'apparente à la psychose maniaque-dépressive. Il nous donne l'impression — à l'instar d'une psychose — d'avoir des ailes ou au contraire de nous morfondre dans un donjon. C'est un état qui afflige jeunes et vieux. La première fois qu'il se manifeste est en général la plus dangereuse. Quoi qu'il en soit, il nous fait perdre la raison,

20

l'appétit, le sommeil et négliger tout ce que nous jugions important y compris notre activité professionnelle. Si ce n'est pas une réaction névrotique, qu'est-ce ?

L'amour nous fait commettre des folies, nous rend stupides, nous fait souffrir. Ne vous moquez pas d'une personne qui connaît les affres d'un amour non partagé. Elle souffre intensément. Il ne suffit pas de lui enseigner à ne plus se lamenter sur son sort pour mettre un terme à sa dépression. Le seul moyen de guérir un chagrin d'amour est de ne plus aimer. Voilà qui est plus facile à dire qu'à faire.

Les causes du problème

Il importe de comprendre pourquoi un couple en arrive à se quereller et en définitive à ne plus s'aimer. Il n'entre pas dans mes intentions d'établir une liste interminable de raisons évidentes. Je préfère vous exposer certaines des réflexions qui sont le produit de maintes années de pratique en tant que conseiller conjugal.

Quelle est la raison la plus courante pour laquelle un mariage ou une relation devient inopérante, autodestructrice et stressante ? C'est selon moi l'incapacité pour l'homme et la femme de mesurer l'importance qu'il y a à préserver un degré de satisfaction raisonnable dans leur relation. On nous a trop souvent répété que pour être aimé il convient de satisfaire les désirs de l'autre ; que plus vous donnez d'amour plus vous en recevez en retour.

Précisons toutefois cette notion. Si vous parvenez à satisfaire simultanément vos besoins et vos désirs propres, je ne vois rien à redire à cela. En revanche, si vous donnez sans jamais recevoir, si votre relation exclut la réciprocité votre couple est en danger. J'ai eu l'occasion de constater maintes fois qu'être *très* passif, aimant et généreux engendre un stress. L'un des meilleurs remèdes à cette situation consiste à apprendre à s'affirmer. Mon expérience m'a enseigné que l'un des meilleurs remèdes pour sauver un mariage qui bat de l'aile est d'apprendre à l'un des conjoints, et parfois aux deux, à retirer *plus* de bénéfices de la vie de couple. La plupart des ménages se brisent parce que l'un des partenaires — ou les deux — a consenti à trop de sacrifices. Négliger ses désirs et ses besoins propres nuit non seulement à votre équilibre mais encore à celui de vos enfants et de votre conjoint.

La femme en particulier a appris à être soumise à l'homme et à faire passer ses besoins à lui avant les siens. Cette situation engendre une rancœur de la femme à l'encontre de son époux. Ceci est surtout évident lorsque le couple fait l'amour. Si la femme se soucie constamment du plaisir de son partenaire, il est peu probable qu'elle connaisse une quelconque jouissance. La situation sera toutefois différente si elle prend en considération sa propre satisfaction en même temps que celle de son partenaire.

Une personne qui se soucie de manière obsessionnelle du bien-être d'une autre développe des problèmes de possessivité et de jalousie. L'une et l'autre étouffent ainsi les merveilleux sentiments réciproques qu'elles éprouvent au lieu de s'accorder la liberté d'être qui consolide toujours l'amour. Trop d'adolescents croient encore que plus nous aimons plus nous serons aimés. Il est vrai que cela semble merveilleux.

Il est vrai également que c'est un idéal positif s'il est vécu intelligemment. Il s'agit — hélas — bien souvent d'une utopie qui débouche sur une relation à sens unique au détriment du « donneur ». Toute relation ainsi déséquilibrée — l'un qui donne et l'autre qui se contente de recevoir, voire de prendre — est condamnée à long ou moyen terme. Nous devons fonder notre relation non sur le sacrifice total de l'un, mais sur le sacrifice réciproque. Cette dernière attitude est mûre et saine et non égoïste comme la précédente. Elle devrait par ailleurs être dépourvue de sentiments de culpabilité.

L'important n'est pas tant de savoir combien vous donnez mais plutôt combien vous appréciez ce que vous recevez.

Un patient m'expliqua un jour que son ménage était très heureux parce que son épouse lui donnait tout ce qu'il espérait recevoir. Cette remarque me surprit ; il m'avait toujours semblé que cette femme lui refusait bien des « choses ». Certains de mes associés la jugeaient très égoïste. Mon patient, lui, ne se plaignait pas. Il m'expliqua que tout ce qu'il attendait de sa femme c'était qu'elle reste à la maison, qu'elle s'occupe des enfants, qu'elle entretienne leur intérieur et qu'elle lui soit fidèle. Qu'elle lui accorde cela et il était tout disposé à lui céder sur les autres points. Sa femme gérait les finances, elle s'absentait souvent en soirée, elle dépensait des sommes considérables en vêtements et en bijoux, il lui arrivait même de partir en vacances avec des parents ou avec des amies. Rien de cela n'indisposait mon patient tant que ses désirs à lui étaient satisfaits.

Des individus trop différents ont peu de chance de connaître le bonheur ensemble. Comment le pourraient-ils ? Après tout, nous nous sentons bien en compagnie de personnes qui nous ressemblent, qui partagent nos pensées et nos centres d'intérêt, etc. Il est donc capital lorsque vous tombez amoureux d'analyser soigneusement votre degré de compatibilité.

Il existe essentiellement deux types d'incompatibilité : névrotique et profonde. L'incompatibilité névrotique est celle qui s'installe entre deux êtres qui « sont faits l'un pour l'autre » mais qui se heurtent en raison de difficultés émotionnelles passagères. Résolvez ces problèmes et l'harmonie régnera à nouveau. La plupart des individus qui me consultent vivent une telle situation.

L'incompatibilité profonde, en revanche, découle de différences telles entre les partenaires qu'une « coexistence pacifique » est quasiment impensable entre eux. Ainsi, il y a peu de chance qu'une jeune femme ayant reçu une éducation très religieuse vive en harmonie avec un athée. L'une de mes patientes était amoureuse d'un homme qu'elle désirait épouser, elle renonça toutefois à son projet parce qu'elle ne concevait pas de vivre avec quelqu'un qui ne soit pas chrétien. Que l'on partage ou non les convictions de cette dame, il nous faut reconnaître que sa décision fut sage. Malgré l'amour que cette femme éprouvait pour cet homme, il existait néanmoins entre eux une incompatibilité profonde.

D'autres formes d'incompatibilité profonde concernent l'éducation des enfants (la discipline doit-elle être ferme ou quasiment inexistante ?), l'attitude à l'égard de l'argent (faut-il le dépenser ou l'économiser ?), la sexualité (faut-il avoir des relations sexuelles deux fois par jour ou deux fois par mois ?). Ces incompatibilités sont irréconciliables. Fonder une relation sur dc telles bases est malsain. L'expérience sera *profondément* frustrante, à n'en pas douter.

L'une des raisons majeures de ces différences dans la manière d'aborder les problèmes tient à notre éducation. Le contexte familial est beaucoup plus important dans la détermination de nos comportements et de nos philosophies qu'on ne l'imagine. Nombre de mes patients connaissent des difficultés conjugales parce qu'ils n'ont pas pris en considération le contexte culturel et social de leur partenaire avant d'unir leur vie à la sienne. Une femme, par exemple, fut surprise de constater que son mari manquait d'ambition, qu'il consacrait des heures à regarder la télévision, qu'il participait rarement aux travaux ménagers et qu'il partait souvent à la chasse ou à la pêche. Si elle s'était plus intéressée au contexte dans lequel son mari avait été élevé, elle aurait constaté que son père était fait du même bois et que sa mère s'accommodait de cette situation. Son époux avait donc grandi dans un univers où l'homme se rendait à son travail, rentrait chez lui, se détendait et ne mêlait que rarement sa vie sociale et sa vie conjugale. Pourquoi en serait-il autrement pour lui ? Le seul tort de cette brave dame était d'avoir manqué de curiosité.

Le meilleur conseil que je puisse donner à des fiancés est de passer le plus de temps possible avec leur future belle-famille. Voyez quelle est l'attitude qu'ils adoptent les uns vis-à-vis des autres, découvrez leurs convictions politiques et religieuses, observez la manière dont ils considèrent l'argent et surtout voyez s'ils se querellent ou s'ils préfèrent régler leurs différends à l'amiable. Ne vous bercez pas d'illusions.

Votre futur époux ou future épouse ne sera pas aux antipodes des siens. Notre éducation nous façonne. Les premières années vous donneront peut-être à espérer que vous avez trouvé l'oiseau rare. N'oubliez pas toutefois le dicton populaire : « chassez le naturel, il revient au galop ». Les opinions, le tempérament et le mode de vie qui furent le lot de votre partenaire vous seront tôt ou tard imposés.

Une autre source de friction mal comprise dans des relations par ailleurs saines est la tendance qu'ont les individus à évoluer et à se transformer au fil des ans. La personne que vous avez épousée à vingt ans ne sera plus la même à trente. Un garçon d'une vingtaine d'années préférera le jeu au travail, il fera d'interminables randonnées à motocyclette ou passera son temps au café avec « les copains ». A trente ans, il délaissera la motocyclette pour une voiture économique, les copains braillards pour des relations d'affaires, etc. Bref, il adoptera des attitudes qu'il aurait jugées inacceptables et ennuyeuses dix ans plus tôt. La même remarque s'applique aux femmes. Celle qui était passive et dépendante de son époux revendiquera le droit de participer aux décisions et de gagner sa vie. Elle devient moins réservée avec l'âge, plus indépendante et mûre ; certains époux n'apprécient pas ce genre de transformation.

J'ai constaté que ces modifications de la personnalité se produisaient assez régulièrement : tous les sept à dix ans. J'admets que mon appréciation est imprécise. Il n'est toutefois pas important de déterminer si le cycle est de cinq, de sept ou de dix ans, qu'il nous suffise de savoir que nous vivons avec des êtres qui changent à tout moment. C'est une des raisons pour lesquelles des divorces se produisent même après de nombreuses années de vie commune. L'un des partenaires — ou les deux — est devenu « différent » et ne se satisfait plus de son conjoint ou ne le satisfait plus. Ce qui les rapprochait autrefois n'existe plus désormais. Nous sommes tous des êtres en évolution. Il est par conséquent logique que nos désirs et nos besoins se modifient au fil des ans.

Il se produit souvent un phénomène merveilleux lorsque nous atteignons la trentaine (soit entre vingt-huit et trente-deux ans). Nombre d'individus commencent pour la première fois de leur vie à comprendre ce qu'est la vie. Ils sont capables de se pencher sur leur passé et de le percevoir d'une manière totalement nouvelle. Leur propre comportement leur apparaît sous un tout nouvel éclairage. Leur situation est semblable à celle d'un marcheur perdu dans une forêt épaisse. Il sait que le chemin monte mais il n'a pas une vue d'ensemble de la situation. Il accède finalement au sommet du mont qui se trouve être dégagé ce qui lui permet de se situer. C'est aussi cela avoir trente ans.

Atteindre la trentaine comporte des implications psychologiques et pratiques qui sont souvent sources de tensions conjugales. L'individu se transforme parfois de manière positive, ce qui ne plaît pas nécessairement à son partenaire. Ainsi, les hommes s'affirmeront plus nettement, se fixeront certains objectifs, et agiront dans l'ensemble de manière plus mûre. Les femmes deviendront moins dépendantes donc moins coopératives et dans l'ensemble moins timorées. Cette évolution posera sans conteste problème à un homme qui manque d'assurance. S'il n'a pas évolué dans le même sens que son épouse, il se produira un déséquilibre majeur sur le plan de la maturité. La femme aura la pénible impression d'être mariée à un enfant et non à un homme.

Une autre cause fréquente de friction entre les partenaires tient au fait qu'ils ne réalisent pas que la réussite d'un mariage est l'une des entreprises les plus ardues à laquelle un être humain risque de se trouver confronté. La vie à deux requiert du dévouement, de la patience et l'acceptation de responsabilités à long terme dont le poids est parfois insupportable. Une patiente mariée depuis deux ans (à peine, dirais-je) m'a confié que le mariage était selon elle une relation étouffante, exigeante, inhibitrice et souvent ardue. Elle ne désirait toutefois pas divorcer ; elle estimait être heureuse en ménage. Cette jeune femme avait une vision très claire et très saine de la situation. Les jeunes rêveurs naïfs et romantiques qui s'imaginent que la vie à deux est une « partie de plaisir » permanente sont à la merci d'un réveil brutal. Le jour viendra où ils prendront conscience de la réalité et découvriront son goût amer : lorsqu'ils seront incapables de régler leurs factures, lorsque Monsieur se rendra compte qu'il *doit* travailler pour faire vivre sa petite famille, lorsque Madame se retrouvera consignée à la maison parce qu'elle a deux enfants qui nécessitent des soins constants, etc.

Ne vous méprenez pas : je considère que le mariage est une merveilleuse institution. C'est l'une des activités les plus épanouissantes — pour autant qu'elle soit vécue positivement. Je conseille à tout un chacun de l'envisager comme un moyen d'accéder à un bonheur durable.

Un autre danger qui guette l'harmonie du couple tient au manque d'appréciation des différences subtiles existant entre les hommes et les femmes. Je ne parle pas des différences physiques qui sont évidentes. Il est toutefois fascinant et quelque peu étrange de noter combien il est fréquent d'entendre des femmes venant de milieux différents émettre les mêmes plaintes. La constance de leurs remarques m'a convaincu du fait qu'il existe des différences innées entre les hommes et les femmes — ce qui nous distingue n'est donc pas seulement une question d'éducation.

Il n'est guère difficile pour un homme d'établir une distinction entre l'amour et une relation sexuelle. Il peut se disputer avec sa femme ou sa petite amie et lui proposer de faire l'amour l'instant d'après. Bref, il est capable de désirer une femme sans pour autant se soucier d'elle en tant qu'individu. Les hommes se plaignent souvent que leur épouse ne soit pas suffisamment ardente mais trop possessive. Ils ont le sentiment de prouver leur amour en travaillant durement, en demeurant sobre, en rentrant à la maison directement après leur journée de travail, et en étant fidèles à leur épouse. Ils ne comprennent pas l'utilité de répéter constamment « Je t'aime ». Que sont ces mots comparés à leurs actions ?

Les femmes, elles, désirent le plus souvent recevoir de l'amour et des démonstrations d'affection ; il est rare qu'elles accordent une place prééminente à la sexualité. N'en déduisez pas, messieurs, qu'elles ne s'y intéressent pas. La sexualité n'est pour elles qu'une composante de l'amour, de l'affection. L'amour et la sexualité sont des éléments indissociables. Une femme ne s'engagera dans une relation sexuelle que si elle est éprise de son partenaire.

Une autre caractéristique commune à de nombreuses femmes est leur propension à confier leurs sentiments et à attendre la pareille de leur compagnon. La satisfaction sexuelle dépend de la communication des sentiments éprouvés. Elles auraient l'impression de se prostituer si elles ne connaissaient pas l'homme avec lequel elles font l'amour. Elles ne lieront pas leur destinée à un homme sans savoir ce qu'il a dans le cœur. Eprouver des sentiments profonds et les communiquer est plus important pour elles que les promenades la main dans la main, qu'une nouvelle robe ou qu'un voyage autour du monde. Si elles ne peuvent engager leur âme en même temps que leur corps, elles préfèrent garder leurs distances. C'est un trait de la psychologie féminine que bien des hommes ne comprennent pas, qu'ils négligent et qu'ils n'apprécient guère.

Les femmes désirent s'exprimer. Elles aiment à exprimer leurs sentiments et veulent savoir avec précision où elles en sont avec celui qu'elles aiment. Les hommes, en revanche, ne se soucient guère de ce qui se passe dans la tête de leur compagne. Ils préfèrent ne pas parler de leurs soucis, convaincus qu'ils sont de devoir résoudre seuls leurs problèmes. Cette réaction est très différente de celle des femmes qui affirment souvent que si elles ne peuvent parler de leurs problèmes elles deviennent « folles ». Elles ne sont toutefois pas disposées à se tourner vers n'importe qui. Leur confident doit être quelqu'un qu'elles respectent, quelqu'un qui leur prêtera une oreille attentive et une épaule compatissante.

Il est un phénomène particulier — que je nomme le « retour de flamme » — qui s'avère souvent critique pour l'équilibre d'un couple. Le « retour de flamme » se produit chez un jeune homme ou chez une jeune femme qui s'est marié(e) trop tôt et n'a donc pas eu l'occasion de « profiter » de sa jeunesse. Arrive un temps dans la vie de ces individus — vers la trentaine le plus souvent, parfois vers la quarantaine — où ils revendiquent une certaine liberté. Ils désirent connaître d'autres partenaires, ou sortir avec des copains dans un sursaut d'adolescence — une adolescence qu'ils n'ont jamais vraiment connue.

Si un homme se sent frustré parce qu'il s'est marié trop tôt et n'a jamais eu l'occasion de s'offrir « du bon temps », il devra faire un choix : accepter sa situation et s'en accommoder ou risquer de briser son ménage.

Les propos que tiennent deux amants lors d'une dispute. ou à la faveur d'une colère incontrôlable auront un effet décisif sur l'évolution de leur relation. C'est la raison pour laquelle je conseille à tous les couples de choisir le silence lorsqu'ils sont sous l'emprise de la colère. Vous ignorez comment maîtriser votre rage ? Apprenez-le ! Ne vous réfugiez toutefois pas dans le silence pour blesser votre partenaire. Vous finiriez par le regretter parce que vous vous éloignerez l'un de l'autre à chaque fois que cela se produira. Le jour viendra où vous n'éprouverez plus le moindre sentiment l'un pour l'autre.

Il existe encore deux sources de problèmes conjugaux. La première est liée à la notion irrationnelle selon laquelle : lorsque deux individus se marient ils s' « appartiennent ». D'aucuns s'imaginent qu'épouser un homme ou une femme revient à acquérir un nouveau « bien ». « Tu es à moi » n'est pas toujours une figure de style. Cela signifie dans certains cas : « Tu es à moi donc tu feras ce que je voudrai, tu iras où je voudrai quand je l'aurai décidé, tu ne parleras pas aux gens que je réprouve, etc. »

Le mariage n'est pas un contrat de propriété.

N'oubliez jamais ce point, si vous ne voulez pas connaître de déboires. Un mariage est une union mutuellement consentie — et désirée — entre deux individus. Cette union peut être temporaire ou définitive — elle n'a toutefois rien de contraignant. Les conjoints doivent savoir que lorsqu'une relation n'est plus satisfaisante, chacun a le doit d'y mettre un terme — et ce faisant agirait sagement.

Hélas, les personnes qui ont des sentiments d'insécurité, des complexes d'infériorité ou qui sont très susceptibles considèrent souvent leur épouse ou leur mari comme étant leur propriété. Elles n'acceptent pas l'idée que leur partenaire ait le droit de les quitter. Elles s'imaginent qu'avoir un anneau au doigt équivaut à avoir un « fil à la patte ». N'hésitons pas à le dire : ce sont des êtres dangereux : souvent jaloux, mauvais et colériques à un degré psychotique.

La dernière cause de frictions conjugales que j'évoquerai ici est : le besoin d'être aimé. Les patients me regardent souvent avec un air incrédule et choqué lorsque je leur affirme que l'amour n'est pas indispensable à la vie. Je ne produirais pas une réaction différente en blasphémant. Comment ose-t-on remettre en question le caractère sacré de ce sentiment merveilleux, chanté par tous les poètes ? Quiconque ne considère pas l'amour comme l'objectif ultime de la vie, comme l'expression par excellence de ce que l'homme a de plus noble ne peut être qu'un sagouin. Quiconque ne voit pas dans l'amour une sorte de dieu n'est qu'un robot déshumanisé. Il est évident que tout homme a besoin d'amour et qu'une vie sans amour est insupportable et abominable. Le rejet est la pire des insultes, le pire des dangers auxquels un être humain risque de se trouver confronté. Nous ne disposons que d'un moyen d'évaluer notre valeur personnelle : l'amour des autres. C'est aussi simple que cela.

Je fais donc exception à la règle. J'affirme en effet que l'amour n'a rien d'indispensable — sauf peut-être pour des enfants en bas âge. Notre vie ne deviendra pas un enfer si nous ne disposons de personne qui nous aime plus que tout, à tout instant.

Le *besoin* névrotique d'amour plutôt que le *désir* pratique d'amour est la principale cause de souffrances chez des gens censés s'aimer.

Pourquoi avons-nous tant besoin d'être aimés ? En quoi l'amour d'autrui fait-il de vous un être respectable ? N'étiez-vous pas respectable avant d'être aimé ? Dépendez-vous à ce point de l'opinion des autres ? Pourquoi un tiers serait-il plus à même que vous de décider de votre valeur ? N'êtes-vous pas le mieux placé pour savoir que penser de vous ? Vous seul disposez de tous les éléments vous concernant.

Réfléchissez à ces quelques points. Demandez-vous si l'amour d'autrui est vraiment un élément *critique* dans votre vie ou plutôt un sentiment *désirable*. N'est-il pas déplaisant, regrettable et triste d'être privé d'amour ? Bien sûr que si. Mais est-ce vraiment horrible, terrible, tragique ? Est-ce vraiment la fin du monde ? Votre réponse est affirmative ? Alors, prouvez-le moi !

Ne vous méprenez pas. Je ne critique nullement les sentiments profonds que des individus développent l'un pour l'autre. Je considère même que c'est merveilleux et je vous encourage à œuvrer pour connaître une relation intime riche et épanouissante. Je prétends toutefois qu'on ne *doit* pas être aimé à tout moment par la personne à qui on a uni sa vie.

Si vous comprenez ce point vous serez protégé à jamais contre le sentiment le plus redouté : le rejet. Etre rejeté par l'être que nous aimons plus que tout est pour la plupart la preuve ultime de leur médiocrité. Si nous avions une quelconque valeur nous ne serions pas ainsi rejetés.

Un rejet est toutefois indolore, *à moins que vous ne vous fassiez souffrir vous-même.* Si vous prétendez que vous ne valez plus rien parce que votre amant vous a quittée, c'est que vous ne valiez déjà pas grand-chose avant de le connaître. Si vous êtes convaincu que votre vie est ruinée parce que votre petite amie vous a plaqué, c'est que vous n'avez jamais eu grande confiance en vous. Si le monde vous paraît s'effondrer parce que votre conjoint ne vous adresse plus la parole, c'est que vous disposez de bien peu de ressources face à l'adversité. En d'autres termes, votre réaction à l'égard d'un rejet reflète votre attitude face à la vie en général. On vous a appris à croire au Père Noël, aux fantômes, aux sorcières, aux lutins. Vous avez découvert qu'il s'agissait de mythes. Il vous faut maintenant vous persuader que le besoin impérieux d'amour n'est rien d'autre qu'un mythe — lui aussi. Songez au nombre de ruptures que vous avez connues dans votre vie. N'y avez-vous pas survécu à chaque fois ? Un grand amour n'était-il pas toujours remplacé — à plus ou moins courte échéance — par un nouveau ? N'avez-vous pas tiré la leçon de ces expériences ? J'espère avoir réussi à vous convaincre.

Assez de tous ces enfantillages ! Il est temps de devenir adulte. La vie est faite de frustrations, d'efforts, de combats... Le rejet n'est rien de plus que cela. Une frustration parmi tant d'autres. Un rejet n'est pas une maladie incurable. Nous sommes capables de nous adapter à de nouvelles situations, à de nouveaux environnements, à de nouveaux venus... nous sommes également capables de nous adapter à la perte d'un amour. Nous ne sommes plus des enfants. Nous sommes plus forts que nous le croyons. Nous avons cessé de plaire à notre partenaire ? Qu'importe, il est d'autres personnes qui nous apprécient. La vie continue. Continuons donc à vivre !

La solution

Les chapitres suivants exposeront trois approches qui vous aideront à aimer et à être aimé. Les deux premières m'ont été inspirées par les travaux des psychologues Charles et Clifford Madsen. La troisième trouve son origine dans la tradition religieuse.

La démarche des Madsen était très simple. Ils voulaient apprendre aux enfants que :

1. Quand vous faites du bien, vous en retirez du bien.

2. Quand vous faites du mal, vous en retirez du mal.

Ils avaient en effet constaté que ces principes pourtant simples étaient souvent négligés et que les enfants avaient des conceptions quelque peu différentes. Selon eux,

a) lorsqu'un enfant fait du mal, il en retire parfois du bien ;

b) lorsqu'un enfant fait du bien, il en retire parfois du mal ;

c) peu importe ce que fait un enfant, il en retirera de toute façon du mal ;

d) peu importe ce que fait un enfant, il en retirera de toute façon du bien.

Revenons aux deux premiers principes des Madsen qui me paraissent être des conceptualisations sensibles mais incomplètes de la réalité. Je voudrais ajouter une phase intermédiaire et formuler trois nouvelles règles qui vous vaudront coopération, respect et amour.

Règle 1 : Si on vous traite avec prévenance, faites montre de prévenance.

Règle 2 : Si on vous traite mal, continuez à faire preuve de prévenance, tendez l'autre joue, souriez, dispensez de l'amour... *pendant un laps de temps raisonnable.*

Règle 3 : Si on vous traite mal, *et que le second principe échoue,* traitez votre interlocuteur aussi mal qu'il vous traite, sans pour autant vous mettre en colère.

La beauté de cette conceptualisation tient à ce qu'elle se fonde sur une compréhension scientifique de la nature humaine et qu'elle est d'une grande simplicité. N'en déduisez pas que sa mise en pratique soit simple. L'important est que vous ayez une idée précise de l'objectif que vous désirez atteindre. Il vous sera alors possible de déterminer comment il convient de réagir en fonction des trois règles ci-dessus.

Il importe toutefois, avant d'entrer dans le vif du sujet, d'avoir une idée précise de ce qu'est l'amour. De savoir comment et pourquoi un mariage ou une relation amoureuse réussit.

II

LA VÉRITÉ SUR L'AMOUR
ET SUR LE MARIAGE

La théorie de la réciprocité de l'amour

L'amour est ce sentiment puissant que nous éprouvons pour des personnes, pour des animaux, ou pour des objets qui ont satisfait, qui satisfont ou qui satisferont nos besoins et nos désirs les plus profonds. Cette définition ne vous paraît peut-être pas très originale, mais, croyez-moi, en y regardant de plus près vous y découvrirez des implications qu'il ne vous sera pas facile d'accepter.

Ainsi, vous noterez que je ne prétends pas que ce soient les personnes que nous aimons mais plutôt ce que les individus ou les animaux font pour nous. Je suis convaincu que si l'être que vous aimez cesse de satisfaire des besoins que vous jugez extrêmement importants, vous cesserez, vous, de l'aimer. L'amour meurt quand les amants n'en retirent plus ni satisfaction ni bénéfice ni plaisir. L'inverse est également vrai. Plus un individu satisfait vos désirs et vos besoins profonds, plus vous aurez tendance à l'aimer. N'oubliez toutefois jamais ce détail pratique : ce n'est pas l'individu que vous aimez, *c'est ce que l'individu fait pour vous.* Il vous sera beaucoup plus facile d'engendrer des sentiments d'amour chez autrui lorsque vous aurez compris et accepté ce simple fait. Votre succès dépend de votre réalisme. Si vous acceptez la réalité à l'état brut et si vous comprenez la signification véritable de l'amour, vous ne réprimerez plus vos envies de dispenser à votre partenaire ce qui vous assurera son amour.

Ainsi, votre partenaire aime l'élégance ? Soignez votre maintien, surveillez votre habillement, ajoutez quelques touches subtiles... Il vous aimera d'autant plus. Votre partenaire a besoin d'affection ? Pressez sa main dans la vôtre, passez-lui la main dans les cheveux, enlacez-le spontanément, faites-lui un « gros câlin »... Vous le comblerez, il vous comblera !

L'apparence physique, l'argent, le mode de vie sont-ils également des éléments décisifs ? Aimonsnous aussi les autres parce qu'ils sont riches, parce qu'ils dansent comme des dieux ou parce qu'ils sont honnêtes ? La réponse dépend de votre échelle de valeurs personnelles. Si certaines qualités sont importantes à vos yeux, il est probable que vous vous éprendrez d'une personne qui les possède. Par conséquent, si vous avez besoin de sécurité financière, ou d'un mode de vie fastueux vous serez attiré par des individus riches.

Vous objecterez qu'il ne s'agit pas dans ce cas d'une démonstration d'amour mais d'une réaction intéressée. En d'autres termes, que ce n'est pas l'individu qui est aimé mais son argent. Vous n'avez donc pas compris le point capital sur lequel j'ai insisté au début de ce chapitre. Nous n'aimons pas les individus de manière inconditionnelle, nous les aimons pour ce qu'ils font pour nous. Si l'argent occupe une place importante dans votre échelle de valeurs, vous aimerez non seulement l'individu qui en possède mais encore l'argent même qu'il possède et sa propension à vous en faire bénéficier. L'argent est un mobile amoureux aussi légitime que la beauté physique, l'élégance, les performances sexuelles, etc.

Mais que se passe-t-il si l'argent vient à manquer. Une récession économique est-elle capable de tuer les sentiments d'amour au sein d'une famille ? Sans le moindre doute ! L'amour fondra aussi rapidement que le compte en banque. Il en va de même de tous nos désirs. Plus ils sont satisfaits, plus vous êtes amoureux. Moins ils sont satisfaits, moins vous êtes amoureux. Vous désirez un époux qui soit fort, qui sache prendre des décisions, qui assure votre protection et celle de votre famille ? Votre conjoint s'avère ne pas correspondre à cet idéal ? Croyez-moi, votre amour pour lui s'effritera en proportion directe du nombre de déceptions qu'il vous réservera. Quant à vous, monsieur, vous appréciez la grâce et le charme de votre épouse, mais vous déplorez de la voir prendre du poids ? Chaque kilo supplémentaire c'est un peu d'amour perdu.

Ma vision manque de romantisme ; mais elle présente l'avantage d'être réaliste. Vous m'objecterez que l'on n'aime pas toujours un individu parce qu'il nous traite avec prévenance à tout instant. Vous me citerez des exemples prouvant qu'il est possible d'aimer un être sans rien attendre en retour. Je ne suis pas d'accord avec vous, mais comprenez bien que je ne parle pas d'*amour fraternel* mais bien de l'*Amour* avec un A majuscule. L'Amour s'applique tant à un partenaire, qu'à des parents, qu'à des enfants, qu'à des amis intimes. C'est-à-dire à tous les individus qui exercent une influence sur notre vie quotidienne et pour lesquels nous sommes disposés à consentir d'énormes sacrifices. Ma théorie de l'amour s'applique au processus réciproque normal qui s'installe entre des *individus intimes*.

L'amour fraternel, ou l'amour d'autrui, est un sentiment très noble, mais qui ne nécessite ni un échange ni une réciprocité. Vous faites peut-être partie de ces gens qui font des dons pour les victimes de cataclysmes ou pour les enfants du tiers monde. Vous avez rempli un chèque, vous l'avez adressé à une organisation responsable et votre intention n'était autre que de dispenser un peu de mieux-être à des malheureux vivant à plusieurs milliers de kilomètres de vous. Vous n'avez pas cherché à savoir quel sera l'individu qui bénéficiera de votre générosité. Vous ne vous attendiez pas à une démonstration quelconque de gratitude. Votre geste était désintéressé. Votre seule récompense : savoir que vous avez aidé un être humain. Il ne s'agit pas en l'occurrence d'Amour, mais d'un sentiment qui paraît plus noble puisque désintéressé. Ce jugement est toutefois hâtif. L'amour fraternel n'est généreux que dans la mesure où les sacrifices demandés ne sont qu'occasionnels. C'est pour cette raison bien précise que nous ne demandons rien en retour. Si ces inconnus qui bénéficient de nos bienfaits devaient faire appel à notre générosité sur une base quotidienne, croyez-moi, notre attitude se modifierait du tout au tout. Ces inconnus deviendraient des personnages importants de notre vie et nous nous attendrions à être payés en retour. Telle est une des différence essentielle existant entre l'Amour et l'amour fraternel. Le premier implique un contact constant avec les personnes qui nous sont chères, le dernier se caractérise par une absence de contact. Le premier implique des sacrifices constants pour les êtres chers, le dernier des sacrifices occasionnels. Je m'en tiens donc à ma position : lorsqu'il est question d'Amour, vous donnerez tant que cela vous rapportera une certaine satisfaction.

Vous m'objecterez que cette remarque ne s'applique pas à nos parents qui sont désormais âgés — voire séniles — à qui nous dispensons notre amour de manière quasiment inconditionnelle. N'oubliez pas la définition de l'amour qui ouvre ce chapitre. « L'amour est ce sentiment que nous éprouvons pour des personnes... qui ont satisfait (par le passé), qui satisfont (dans le présent) ou qui satisferont (à l'avenir) nos besoins et nos désirs les plus profonds. »

Il suffit de songer à tout ce que nos parents ont fait pour nous lorsque nous étions plus jeunes, à tous ces efforts dont il ne sont désormais plus capables, pour nous convaincre que notre générosité à leur égard a déjà été largement payée.

Mais qu'en est-il de nos enfants ? En quoi un enfant peut-il nous amener à l'aimer ? Il est certain que les bénéfices que nous lui assurons sont considérablement supérieurs à ceux dont il nous gratifie. Comment justifier la somme d'amour que nous lui dispensons si la théorie de la réciprocité est exacte ?

Ne le nions pas, un enfant nous apporte certaines satisfactions appréciables de nos désirs et de nos besoins en a) nous prouvant que nous sommes capables d'assumer le rôle de parents ; b) en perpétuant notre espèce ; c) en faisant vivre notre lignée ; et d) en étant souvent une petite créature merveilleuse

qui nous donne bien des joies en dépit de certains
désagréments.

Implications de la théorie de la réciprocité de l'amour

Si vous suivez toujours ma pensée et si vous ne
m'avez pas encore brûlé en tant qu'hérétique, je vous
propose d'envisager quelques conclusions logiques à
ce stade. L'acceptation des prémisses de cette théorie
permet, selon moi, de dégager diverses réflexions
fascinantes. Je vous avais prévenu : ma définition
paraît banale mais ses implications en déconcerteront
certains.

La théorie éclaire d'un jour nouveau des questions
telles que : les « premières amours » existent-elles
vraiment, une « toquade » doit-elle être assimilée à
l'amour, et le coup de foudre existe-t-il ?

Les « premières amours » qualifient le plus souvent
les sentiments puissants que des enfants éprouvent
l'un pour l'autre, ou pour un adulte. Les « premières
amours » ne sont pas prises très au sérieux ; on juge
qu'il s'agit d'un sentiment charmant mais passager,
superficiel et sans importance.

Je prétends quant à moi qu'il s'agit d'une émotion
puissante qui se fonde sur les expériences et sur les
espérances que partagent deux personnes. Les premières amours sont souvent profondes, sincères et
lorsqu'elles se brisent, elles causent autant de souffrances qu'un « grand amour ». Vous pouvez repro-
cher à l'enfant de manquer de sens pratique, d'être
inconscient. Vous ne pouvez certes pas prétendre
qu'il ne s'agit pas d'amour « vrai ».

Une toquade est un sentiment très vif, généralement passager, souvent bizarre et déraisonnable qu'éprouvent deux individus l'un pour l'autre. Je pense que nous rendons un très mauvais service à ces personnes en ne reconnaissant pas qu'elles vivent un amour très fort. Un couple marié depuis cinquante ans s'aime pour des raisons semblables à celles évoquées par deux individus qui s'aiment depuis peu et sont encore aveuglés par leur passion. Deux individus engagés dans une relation passionnée s'aiment parce qu'ils sont convaincus que leur partenaire satisfera leurs besoins et leurs désirs les plus profonds. Qu'ils aient tort est regrettable, mais n'altère en rien leurs sentiments et leur conviction d'être à la veille de vivre une existence commune merveilleuse.

Nous connaissons des cas de toquade à la faveur desquelles des adultes d'âge mûr tombent amoureux d'individus se situant apparemment aux antipodes d'eux-mêmes. L'homme d'une quarantaine d'années qui envisage de quitter sa femme ou sa famille — à qui il n'adresse par ailleurs aucun reproche — pour refaire sa vie avec une très jeune femme ayant plusieurs enfants est, aux yeux de son entourage, victime d'une toquade. Je suis d'accord avec vous si vous considérez qu'il a manqué de sagesse, que son comportement était irrationnel et qu'il a vu l'arbre mais pas la forêt. En revanche, prétendre qu'il n'éprouve pas des sentiments profonds pour sa nouvelle partenaire revient à nier tout ce qui fait l'amour. Qualifier de toquade toute relation amoureuse ne se fondant pas sur des considérations rationnelles nous amènerait à considérer que 95 % des couples constituent en fait des toquades ! Le mariage intervient en général à un âge où les motivations ne se fondent pas sur la réflexion.

Le « coup de foudre » est une forme particulière de toquade. C'est un sentiment puissant qui s'empare parfois d'un individu avant même qu'il ait été présenté à l'objet de son affection soudaine. Il va de soi que tomber amoureux d'un parfait inconnu vous expose à de sérieux risques. Vous concluez, sans disposer pour ce faire du moindre élément, que cette personne sera à même de vous rendre heureux. Peut-être est-ce son maintien qui vous a séduit, ou son rire, ou son regard ; convenez que fonder son avenir sur de si maigres informations est léger.

Le coup de foudre est toutefois une expérience amoureuse aussi naturelle, aussi sincère et aussi valable que les premières amours ou les toquades. Tous ces sentiments se fondent sur la conviction qu'un être humain bien précis satisfera vos désirs et vos besoins les plus profonds. Il arrive que ces intuitions se trouvent à l'origine de grands amours profonds et durables. Dans d'autres cas, elles débouchent sur des fiascos. Je crains que ce dernier cas soit plus fréquent.

Une autre réflexion découle de la théorie de la réciprocité de l'amour, à savoir que vous êtes en droit d'attendre que le comportement de votre partenaire se modifie au fil des ans de manière à satisfaire vos besoins et vos désirs qui évoluent eux aussi. Les habitudes de votre conjoint vous donnaient peut-être satisfaction il y a quelques années, mais désormais elles vous agacent ou vous dérangent. Ne vous en excusez pas. Il est absurde de prétendre que vous deviez vous en satisfaire. Que vous n'ayez nullement le droit de lui demander d'en changer. Sommes-nous vraiment stupides au point d'accepter de vivre dans une situation qui nous rend malheureux ? « Pourquoi ne peux-tu m'accepter tel que je suis ? » Pourquoi ?

La réponse est simple. « Parce que je ne t'aime pas tel que tu es. Tu me rends malheureux lorsque tu fais telle « chose ». Je m'en accommodais il y a quelques années, mais aujourd'hui je ne le tolère plus. »

Et pourquoi ne changeriez-vous pas ? Ainsi que je l'ai montré au chapitre 1, nous ne restons jamais les mêmes, nous évoluons tous les jours. Le monde n'est pas immobile, les individus ne sont pas figés. Il est parfaitement normal d'attendre de la nouveauté de son partenaire. Cela me paraît d'une telle évidence que je suis surpris à chaque fois qu'un patient m'explique qu'il est désolé d'imposer une telle tension à son partenaire.

Si vous êtes en accord avec ma définition de l'amour, vous conviendrez avec moi que : l'amour doit se mériter. Les seules exceptions à cette règle concernent les jeunes enfants, les parents séniles et les animaux domestiques. Ce sentiment que nous nommons amour naît le plus souvent en nous *après* que l'un de nos désirs a été satisfait. L'amour est le résultat du comportement d'un tiers. Il n'est pas causé par l'autre personne, c'est plutôt un sentiment qui naît en nous lorsque cette personne nous a prouvé que nous avions une grande importance à ses yeux.

Il est donc parfaitement *incorrect* de demander à quelqu'un de nous « donner » son amour. Cela revient à demander à la personne d'adopter certains comportements susceptibles de satisfaire nos besoins et nos désirs. On ne *reçoit* pas de l'amour, on crée l'amour en soi *après* qu'un tiers a adopté une attitude bien précise à notre égard. L'amour est donc une réaction ; une réaction répondant à une action d'autrui.

La théorie de la réciprocité implique en outre que

l'amour a une signification différente pour chacun. Ce qui me paraîtra être un acte d'amour n'aura peut-être aucun potentiel affectif pour vous. Si vous désirez qu'une personne vous aime, commencez par essayer de savoir ce qui serait susceptible de faire le bonheur de cette personne. Ne vous fondez pas sur votre conception personnelle du bonheur. Un exemple typique de ce genre de confusion nous est donné par « le bouquet de fleurs ». Je m'explique. Les hommes considèrent souvent qu'il est ridicule d'offrir des fleurs pour prouver son amour. Je comprends parfaitement ce point de vue rationnel, brillant, correct et pratique. Les fleurs meurent en quelques jours, leur prix est en général élevé, et entrer chez une fleuriste ne demande pas le moindre effort. Un homme qui est fidèle à son épouse, qui travaille durement pour le bien-être de sa famille, qui respecte l'indépendance de son épouse prouve son amour avec beaucoup plus d'intensité qu'en offrant trois douzaines de roses. Cet argument est typiquement masculin.

Le problème est toutefois de savoir si la personne dont on veut se faire aimer tient le même raisonnement. Si trois douzaines de roses lui paraissent être une meilleure preuve d'affection, offrez-lui donc trois douzaines de roses. Vous jugez cela stupide, infantile, romantique. Là n'est pas la question. Vous voulez prouver votre amour ? Alors adoptez un langage que votre compagne comprendra.

J'espère que vous êtes désormais convaincu que les adultes doivent mériter l'amour. Nous sommes tous capables d'aimer inconditionnellement notre vieux matou ou notre jeune berger malinois mais cela n'a rien à voir avec l'Amour. Mes propos vous paraissent peut-être décevants, ne les négligez toutefois pas.

Vous voulez être aimé ? Regardez la réalité en face, même si elle n'est pas aussi séduisante que vous l'espériez.

La notion voulant que l'amour se mérite n'est pas nouvelle pour des individus mûrs. Ils savent sans qu'il soit nécessaire de le leur dire qu'une relation fonctionne toujours sur la base de l'échange. Si vous êtes un être immature ou un enfant gâté, l'idée ne vous viendra pas spontanément de récompenser les efforts d'autrui à votre égard. Cessez de croire que tout vous est dû : l'amour, la justice, la sécurité, etc. Si vous les avez, tant mieux ! cela prouve que vous avez de la chance. Cette observation vous permettra de déterminer très facilement si votre partenaire est mûr ou non. S'il se fait tirer les oreilles à chaque fois que vous lui demandez une petite faveur alors que vous vous employez à satisfaire ses moindres caprices, vous vivez avec un enfant ! Les individus qui a) s'imaginent que tout doit toujours se passer comme ils le désirent et b) qui deviennent amers, déplaisants et colériques lorsqu'il en va autrement sont par définition des êtres immatures.

Il est fréquent que des patients me disent : « J'ai horreur que mon conjoint profite de moi », ou « Je me sens toujours coupable lorsque je dois demander une faveur à mon conjoint. » L'idée de « profiter » l'un de l'autre dans une relation amoureuse paraît tellement inacceptable et peu flatteuse que la plupart des gens la rejettent — ils refusent de se laisser utiliser ou d'utiliser l'autre. Pourtant, n'est-ce pas ce qui se produit constamment entre deux personnes qui s'aiment ? Bien sûr que si ! Si je suis incapable de satisfaire certains de mes désirs et de mes besoins, il est certain que je recherche un partenaire qui sera lui

47

capable de les satisfaire. J' « utiliserai » donc ses talents, ses intérêts, ses ressources financières, sa prestance, etc. pour assurer mon bonheur. Précisons que cette personne agira de même. Si elle unit sa vie à la vôtre c'est que vous lui apportez aussi quelque chose qui lui fait défaut. Il existe très peu de relations qui ne soient pas réciproques. La seule relation qui ne se fonde pas sur la réciprocité est celle dans laquelle l'un des partenaires donne toujours sans jamais rien recevoir en retour. Il est certain que d'aucuns aiment jouer les bons Samaritains. Je connais des personnes qui n'hésitent jamais à venir en aide à un blessé sur la route, par exemple ; ils lui dispensent les premiers soins, le conduisent à l'hôpital le plus proche et poursuivent ensuite leur route sans attendre le moindre merci. Permettez-moi de vous rappeler que ce genre d'attitude s'apparente à l'amour fraternel et non à l'Amour avec un A majuscule. Lorsqu'une relation devient plus intime, lorsque les contacts se font plus fréquents nous avons tous tendance à nous montrer quelque peu égoïstes. Nous n'acceptons plus de toujours donner sans jamais rien recevoir en retour.

Cessez de vous sentir coupable d'utiliser votre partenaire. Nous agissons tous ainsi. J'utilise mes secrétaires pour leurs compétences et elles m'utilisent pour gagner leur vie. J'utilise mon épicier grâce à qui je mange des légumes frais et qui utilise mon argent. Nous utilisons notre conjoint pour mille et un services et notre conjoint attend que nous lui rendions mille et un services. Il est absurde, stupide et hors de propos de prétendre que vous êtes malhonnête parce que vous « profitez » de votre partenaire.

La théorie du mariage-contrat

Un mariage unit deux individus qui en sont arrivés à la conclusion qu'ils ont un degré de compatibilité supérieur à la moyenne et qu'ils sont susceptibles de se satisfaire mutuellement au point qu'institutionnaliser leur relation paraisse être une démarche logique. Pourquoi laisseriez-vous un être aussi merveilleux n'être qu'un passant dans votre vie alors qu'en faisant un petit effort et en acceptant de vous engager, vous pourriez faire ensemble le reste du chemin? C'est dans cet esprit qu'a été conçu le mariage. Les conjoints reconnaissent qu'ils s'engagent l'un vis-à-vis de l'autre, qu'ils ont certaines obligations légales l'un envers l'autre et que leur relation est désormais approuvée par la société. C'est un engagement grave car il est plus que probable qu'au bout de quelques années il aura des répercussions sur d'autres personnes. Les conjoints se retrouveront par ailleurs à la tête de biens communs, qui dans certains cas représentent une petite fortune. Il paraît donc logique et raisonnable de légitimer une telle relation.

Le mariage est une décision particulièrement grave pour la femme. Il est préférable qu'elle soit assurée, lorsqu'elle prononce le oui fatidique, que son compagnon ne l'abandonnera pas à son sort dans des périodes critiques de sa vie (lorsqu'elle est enceinte, lorsqu'elle est malade ou encore lorsqu'elle aura la charge de plusieurs enfants). Si elle accepte de donner le jour à des enfants, elle désirera logiquement avoir la certitude de pouvoir les élever décemment. Sa décision sera donc le fruit d'une réflexion et non d'un coup de cœur.

Un homme se doit de garantir une telle sécurité à sa compagne. C'est elle qui portera l'enfant, qui lui donnera le jour et qui l'élèvera dans la plupart des cas. Il lui faudra donc consentir à certains sacrifices sur le plan professionnel. Il est par conséquent injuste de la part de l'homme de revendiquer le droit de disposer à sa guise de l'argent qu'il ramène à la maison. Bien sûr, il travaille et bénéficie d'un salaire mais son épouse aussi travaille et a aussi droit à un salaire. Sans elle, il n'aurait pas la famille qu'il désire ou serait tout au moins contraint de s'occuper de ses enfants, ce qui aurait des conséquences sur sa vie professionnelle. Je suis surpris de constater que même certaines femmes ne comprennent pas ce raisonnement. Je connais des centaines de femmes qui ignorent le montant du salaire de leur époux et qui n'ont pas voie au chapitre lorsqu'il s'agit d'acheter une nouvelle voiture. Elles jugent cette situation logique, puisque c'est lui qui a travaillé pour gagner cet argent. Et elles ? N'ont-elles pas aussi travaillé ? Cette attitude relève du « machisme » pur et simple. Trop de femmes y souscrivent encore.

Une femme qui accepte cet état de fait commet une injustice à son propre égard. Elle a autant de droits que son mari de gérer les finances familiales et ce pour deux bonnes raisons. 1. Elle travaille aussi durement que lui en assurant toutes les corvées ménagères et en satisfaisant les besoins de sa famille de mille et une façons. Rares sont les femmes qui consacrent leurs journées à manger des friandises en regardant la télévision. Une ménagère remplit une multitude de tâches épuisantes et assure de multiples responsabilités. Elle mène souvent une vie solitaire et ennuyeuse — un homme deviendrait fou après trois jours d'une telle vie. (Vous ne me croyez pas, messieurs? Adoptez donc pendant quinze jours le mode de vie de votre épouse tandis qu'elle ira se reposer à la mer ou à la campagne. Occupez-vous des enfants. Sortez les chiens. Faites la vaisselle. Préparez les repas. Faites le ménage, la lessive. Assurez le repassage, etc. Nous en reparlerons ensuite). 2. La femme a le droit de gérer les finances familiales parce qu'elle est « le col bleu » de la maison. Le problème des femmes est qu'elles ne disposent pas de syndicat et qu'il leur est difficile d'entamer une action de grève pour obtenir la reconnaissance de leurs droits. Il est étrange de constater que l'homme, qui lutte au bureau ou à l'usine pour défendre ses avantages acquis ou pour en acquérir de nouveaux, adopte le rôle du patron en rentrant chez lui. Il semble que notre notion de la justice varie selon que nous soyons celui qui reçoit ou celui qui donne.

Quoi qu'il en soit, il importe que vous considériez le mariage comme étant une forme de contrat entre deux personnes qui espèrent en retirer un certain bonheur, faute de quoi le contrat deviendrait caduc. Une entreprise est vouée à la faillite si employeurs et employés ne partagent pas équitablement les bénéfices ; il en va de même pour un mariage. Etablissez toutefois une distinction subtile entre ces deux situations. Un mariage n'est pas une relation entre un employeur et un employé, c'est une association de deux individus qui décident d'unir leurs forces. Le bonheur dans le mariage est l'équivalent du profit dans les affaires. Etre « dans le rouge », c'est-à-dire dans l'incapacité de payer ses traites, se traduit en termes de mariage par un seul mot : malheur. Les similitudes entre une entreprise commerciale et un mariage sont légion. Si vous n'aimez plus votre emploi, vous démissionnez. Si vous n'aimez plus votre partenaire, vous le quittez ou vous divorcez.

J'ai constaté que les couples qui réussissaient le mieux étaient ceux qui s'étaient construits sur des fondements solides. L'homme et la femme avaient décidé avant de s'engager d'économiser chaque mois une certaine somme pour la construction ou l'achat d'une maison ; de s'accorder un délai de trois ans pour fonder une famille ; de passer un réveillon de Nouvel An dans la famille de la femme, le suivant dans la famille du mari ; etc. N'agissaient-ils pas comme des hommes d'affaires ? Sans le moindre doute. Ils s'épargnaient ce faisant bien des déceptions.

Un mariage et une entreprise commerciale réagissent de manière assez semblable face à la frustration. Un patron qui n'est plus satisfait d'un employé lui fera part de ses griefs et l'invitera à se montrer plus ponctuel, plus assidu, plus soigneux, etc. Il en va de même pour un couple. L'homme demandera que l'intérieur soit mieux entretenu. La femme le priera de consacrer un peu plus de temps aux enfants.

Vous n'êtes toujours pas convaincu ? Vous ne voulez toujours pas admettre qu'un mariage est une forme d'entreprise commerciale ? Voici un argument qui vous impressionnera probablement plus. Ces deux associations font intervenir des sommes d'argent considérables. Il convient d'engager une procédure légale pour sceller ou pour défaire un mariage — il en va de même dans le cas d'une entreprise commerciale. Est-il, par ailleurs, nécessaire de vous rappeler que pendant des siècles le mariage n'était pas une affaire d'amour mais un moyen de renforcer des gouvernements, des régions ou des tribus. Il s'agissait d'un accord strictement politique ou commercial. Dans certaines régions, il convenait même de donner du bétail, pour sceller l'accord.

L'idée que votre mariage ne soit qu'une forme d'arrangement commercial ne vous séduit pas ? J'avoue très honnêtement qu'elle ne me plaît pas plus qu'à vous. Une fois que vous supprimez les mots doux et les fleurs, il ne reste qu'un contrat en bonne et due forme, froid et dépourvu de tout romantisme. Vous devriez entendre, pour vous en convaincre, certains de mes clients expliquer comment ils comptent « lessiver » leur conjoint une fois qu'ils se retrouveront devant les tribunaux. Leurs soucis : la charge des enfants, la pension alimentaire, la répartition équitable du mobilier, de la maison et de la voiture... Où sont donc les violons et les regards langoureux ?

Je suis convaincu que les femmes éprouvent beaucoup moins de difficultés que les hommes à accepter ma théorie du mariage-contrat. Il me semble qu'elles ont souvent plus de sens pratique pour de telles questions. C'est la raison pour laquelle je n'hésite pas à affirmer que — contrairement aux apparences — l'homme est plus romantique que la femme. Il n'envisage pas le côté pratique de la situation lorsqu'il tombe amoureux. Ne croyez pas que j'émette un jugement de valeur ; ceci est une simple observation.

Ainsi, cette « insouciance » explique pourquoi les hommes tombent plus rapidement amoureux que les femmes. Lorsqu'il demande la main d'une femme, il songe à la sexualité, au fait d'avoir une maison, de fonder un foyer. Il apprécie son charme, sa compagnie, son esprit. Il est rare qu'il se demande si cette charmante jeune fille sera à même de subvenir à ses besoins. Il ne s'inquiétera pas de savoir si elle ne le quittera pas s'il se retrouve enceinte ou s'il est victime d'un accident. Les hommes ne pensent en général ni à la mort ni à la maladie lorsqu'ils sont jeunes. Bref, un homme n'attend pas grand-chose d'une jeune fille. Il l'attend, elle. Il se chargera du reste.

Les femmes voient la situation d'un tout autre œil. Elles ne peuvent se permettre de ne pas être pratiques et raisonnables face à une décision aussi grave. Les parents encouragent par ailleurs cette attitude. Lorsque leur fille est sur le point de leur présenter un jeune homme au charme duquel elle n'est n'est pas insensible, ils lui posent aussitôt une foule de questions. Ils veulent savoir s'il est beau, s'il a du caractère, s'il est intelligent, s'il est gentil et jovial... Mais, ils s'inquiètent également de savoir s'il a une formation quelconque, s'il est travailleur, s'il est diplômé, s'il est sérieux, etc. Pourquoi poser toutes ces questions à l'égard d'un garçon et pas à l'égard d'une fille ? Parce que depuis des générations c'est l'homme qui est censé gagner l'argent qui permettra au couple de mener une vie décente et de fonder un foyer. La femme aura tôt ou tard des enfants dont elle devra s'occuper. Elle ne pourra donc continuer à travailler. Permettez-moi de préciser que je suis bien conscient du fait que certaines femmes sont capables de mener une carrière très active et florissante tout en élevant des enfants. Mes propos concernent cependant le plus grand nombre et non les exceptions. La plupart des femmes dépendent donc toujours de leur époux pour leur subsistance. Il est donc parfaitement logique qu'elles ne s'engagent pas à la légère et qu'elles s'efforcent de savoir si leur futur époux sera attentionné, sobre, sérieux et s'il fera un bon père.

Vous comprenez maintenant pourquoi j'affirme que l'homme est plus romantique que la femme ? Il s'intéresse à l'aspect physique de sa compagne et aux plaisirs sociaux qu'elle lui procurera. La femme aura les mêmes soucis mais elle s'intéressera en outre à ses « perspectives d'avenir ».

Je l'ai dit, il n'entre pas dans mes intentions de poser un jugement de valeur. J'exprime des faits, je ne jette nullement la pierre aux femmes. Je ne prétends pas non plus que la situation n'évolue pas... En effet, il s'avère souvent que l'homme perd de son romantisme après la lune de miel, alors que la femme en gagne. Les rôles se trouvant inversés. Elle se soucie de lui apporter du bien-être sur un plan personnel, alors que lui se met à désirer de plus en plus de biens matériels et en arrive à éprouver plus de plaisir à la compagnie des « copains » qu'à celle de sa femme.

Je me souviens d'une cliente qui vivait en union libre avec un homme, dont elle dépendait financièrement. Ils eurent une altercation et son compagnon lui demanda de plier bagages. Elle fut quelque peu désemparée, mais réussit à s'adapter à sa nouvelle situation. Elle eut toutefois une réflexion qui me paraît significative : « Je comprends maintenant pourquoi la plupart des femmes préfèrent se marier. Une femme ne dispose d'aucune protection lorsque son compagnon la quitte. Le mariage lui assure au moins certains droits et donc une certaine sécurité. A mon âge, c'est important. »

Cette femme était intelligente et je me demande pourquoi elle ne s'était pas tenu ce raisonnement quelques années plus tôt. J'en conclus qu'il s'agissait d'une romantique invétérée. Elle ne possédait pas le sens pratique de la plupart de ses semblables. Cette triste expérience présenta l'avantage de la ramener à la réalité.

Comprenez-vous maintenant pourquoi j'insiste tant sur le fait que le mariage est une forme d'entreprise commerciale ? Eprouvez-vous toujours autant de difficultés à considérer le mariage comme étant un contrat ? A moins de respecter les termes du contrat, la relation — quelle qu'elle soit — sera rompue. J'en conclus que si vous menez votre mariage comme une entreprise commerciale, il aura plus de chance de vous apporter le bonheur que si vous vous perdez dans vos rêves. Un manque de sens pratique débouche toujours sur un réveil pénible.

Quelques bonnes raisons de se marier... et quelques mauvaises

Si vous acceptez ma théorie selon laquelle deux individus se marient afin d'obtenir une satisfaction raisonnable de leurs désirs et de leurs besoins profonds, vous conviendrez que la question importante consiste à déterminer quels sont ces désirs et ces besoins profonds.

Mon expérience m'a enseigné qu'il existait dans l'ensemble quatre bonnes raisons de se marier et neuf mauvaises. Je vous propose de les passer en revue.

Les bonnes raisons sont :

Avoir une compagnie

Votre conjoint devrait être votre meilleur ami. Vous devriez pouvoir aborder n'importe quel sujet avec lui. Un conjoint est une personne avec laquelle on passe des heures sans jamais connaître l'ennui. C'est une personne dont la compagnie est agréable. Rencontrer un ami avec lequel vous vous entendez bien est une occasion de réjouissance. Un conjoint est donc un ami avec qui on souhaiterait passer tout son temps.

Avoir une vie sexuelle épanouie et saine

Ne soyez pas choqué. Une relation amoureuse est la seule à pouvoir satisfaire ce besoin, car il s'agit bien d'un besoin et même d'un besoin fondamental. Un couple qui ne s'épanouirait pas sur le plan sexuel serait condamné à l'échec.

La fidélité vous garantit, par ailleurs, une vie sexuelle *saine*. En une période de recrudescence des maladies vénériennes, convenez qu'il s'agit d'une assurance appréciable.

Un couple marié est plus à même d'avoir une vie sexuelle équilibrée que des individus qui changent régulièrement de partenaires. Des conjoints ont en général une bonne connaissance l'un de l'autre, aussi lorsqu'un problème se pose sur le plan sexuel, ils sont plus à même de le résoudre. Bien se connaître demande du temps, mais une fois que nous avons réussi à indiquer à notre partenaire quelles sont nos préférences sexuelles, nous connaissons un bien-être égal à nul autre.

Fonder une famille

Diverses sociétés et certains gouvernements actuels ont essayé de transformer les méthodes traditionnelles d'éducation. Les Chinois ont instauré des systèmes communautaires dans certaines régions et les Israéliens ont construit leurs kibboutz. Je ne suis pas convaincu de la supériorité de ces méthodes. Il est incontestable que certains enfants deviendront plus indépendants et que d'autres n'auront pas à souffrir des sévices que risqueraient de leur imposer des parents violents. Certaines études révèlent cependant qu'aucun système n'est plus efficace que la méthode traditionnelle d'éducation des enfants au sein d'une famille unie et équilibrée.

Une famille est donc un havre pour les enfants. L'éducation est également source de plaisirs et d'enrichissement personnels pour les parents. Devenir parent équivaut à revivre sa propre vie. Les sacrifices qu'on consent au profit de ses enfants nous enseignent la patience, l'endurance et la compréhension. Il est merveilleux pour des enfants d'être élevés par leurs parents, mais il est également merveilleux pour des parents d'avoir l'occasion d'élever leurs enfants. Il s'agit, je le répète, d'une expérience enrichissante et épanouissante.

Construire sa vie

La vie d'une femme dépend pour beaucoup de l'homme qu'elle épousera et de la profession qu'il exerce. N'en déduisez pas que sa vie à lui ne sera pas influencée par la femme qu'il épousera. Il est certain que chacun influencera l'autre de manière non négligeable. Une femme, qui épouse un professeur d'université aura une vie différente de ce qu'elle aurait connu si elle avait épousé un médecin ou un peintre en bâtiment.

Le mode de vie d'un couple est fonction de ses revenus, de l'éducation de chacun des conjoints et de leur attitude respective en société. Une de mes clientes a épousé un voyageur de commerce qui est toujours par monts et par vaux. Ce couple ne désirait pas avoir d'enfant. Ma cliente accompagne donc son mari dans tous ses déplacements. Elle voyage beaucoup, descend dans les meilleurs hôtels, fréquente les meilleurs restaurants et s'habille chez les plus grands couturiers. Elle adore ce mode de vie, de même que son époux. Elle aurait été moins heureuse et moins épanouie si son mari avait été un petit employé sédentaire aux revenus modestes.

Les mauvaises raisons de se marier sont...

Il existe des dizaines de mauvaises raisons, mais il me paraît inutile de les étudier toutes en détail. Je vous propose de nous concentrer sur les plus courantes.

La peur de l'indépendance

Quiconque se marie pour fuir la solitude commet une erreur. Certains jeunes gens sont désemparés au moment d'affronter la vie. Ils se retrouvent seuls et se persuadent qu'ils ne seront pas à la hauteur de la tâche. Ils s'autorisent donc à tomber amoureux.

59

Remarquez que j'ai dit « s'autorisent ». Après tout, lorsque nous tombons amoureux c'est que nous nous autorisons à éprouver un tel sentiment. Personne ne nous y contraint en aucune façon. Nous sommes seuls responsables de nos sentiments. Le moment qui nous paraît le mieux approprié pour songer au mariage correspond bien souvent au moment où nous sommes sur le point de nous retrouver seul, sans personne pour subvenir à nos besoins.

Il n'est donc pas rare que des universitaires se marient fréquemment peu de temps après avoir décroché leur diplôme. Ils sont dépendants à l'excès ; ils ont peur de la solitude ; ils ont besoin d'une épaule sur laquelle s'appuyer. C'est ce qui motive leur décision. Des individus qui ne se sont pas accordés quelques années d'indépendance avant de se marier finissent toujours par le regretter.

Jouer les protecteurs

Ainsi que vous le verrez dans les chapitres suivants, l'une des erreurs psychologiques qui se trouve être à l'origine de nombreux problèmes conjugaux est l'abnégation. Certaines personnes ne se marient que dans le but d'aider leur partenaire à résoudre l'un ou l'autre problème. Telle femme s'est mariée pour venir en aide à un homme que détruisait l'alcool ou le jeu ; elle est persuadée que son amour sera le meilleur des remèdes et qu'il permettra à l'homme de retrouver le droit chemin. Tel homme se mariera parce qu'il éprouve de la pitié pour cette jeune femme charmante mais déprimée et incapable d'élever ses enfants ; il imagine être un beau chevalier sans peur et sans

60

reproche qui tirera cette malheureuse des griffes de la dépression.

Ces deux personnes commettent la même erreur ; ils ne seront jamais un conjoint mais un thérapeute. Suivez mon conseil : ne commettez jamais une telle imprudence. Le taux de succès de ces « opérations de sauvetage » est très bas. En adoptant le rôle de protecteur, vous aggravez les sentiments d'insécurité de votre partenaire qui en viendra à vous détester en raison justement de votre supériorité. Vous finirez par vous engager dans un dialogue de sourds et la situation se dégradera de plus en plus.

Contrarier ses parents

Il est peu de périodes dans la vie où il est plus difficile de prendre des décisions raisonnables que durant l'adolescence. Vous pénétrez dans la vie adulte et vous désirez vous affirmer. Vous n'avez toutefois pas encore assez d'expérience pour faire montre de sagesse. Les adolescents se retrouvent donc dans une situation inconfortable. Ils doivent commettre des erreurs pour en tirer les leçons. Le drame vient du fait que l'un de leurs premiers gestes d'indépendance concerne le mariage. Ils s'estiment capables de choisir eux-mêmes la personne à laquelle ils vont unir leur vie et refusent les conseils des parents. Ces derniers commettent souvent des erreurs et je suis le premier à le reconnaître. Mais lorsqu'ils conseillent à leur progéniture de ne pas se marier trop jeune, ils ont raison dans 99 % des cas. Les adolescents veulent toutefois prouver au monde qu'ils sont capables de se débrouiller seuls et n'en font qu'à leur tête. Peu de jeunes sont conscients au moment où ils prononcent le oui fatidique qu'ils lancent en fait un défi à leurs parents. C'est toujours une très mauvaise manière de commencer une union.

La peur du célibat

Les gens agissent souvent en dépit du bon sens lorsqu'ils sont sous l'emprise de la peur. D'aucuns manquent tellement de confiance en soi qu'ils sont persuadés que personne ne voudra jamais les épouser. La peur de rester vieille fille ou vieux garçon les incite à dire oui à la première offre de mariage qui se présente à eux. L'une de mes clientes me confia un jour : « J'aurais épousé le premier homme qui m'aurait demandé ma main. J'avais une piètre opinion de moi et je me disais que je serais déjà bien heureuse si quelqu'un — n'importe qui — voulait de moi. » Est-il utile de préciser que ce mariage fut un fiasco et se solda par un divorce ? Ma cliente n'aurait jamais envisagé d'épouser cet homme si elle ne s'était pas tenu un tel raisonnement.

L'opinion des autres est une autre raison pour laquelle des jeunes gens sont si inquiets à l'idée de ne pas se marier. Ne sont-ils pas suffisamment attrayants ou intéressants pour séduire quelqu'un ? Tous leurs amis se marient les uns après les autres alors qu'eux demeurent célibataires. Que s'imaginent les autres ? Voici une démarche bien maladroite. Je rassurerai ces jeunes gens en leur disant que ne pas se marier trop tôt est une preuve de maturité.

Etre amoureux

Je n'oublierai jamais cet homme de vingt-huit ans qui vint me consulter parce qu'il envisageait de se marier... pour la troisième fois. J'étais assez perplexe devant la courte durée de ses mariages précédents. Je conclus de nos diverses conversations que mon client nourrissait la notion irrationnelle que s'il tombait amoureux d'une jeune fille, il devait l'épouser.

L'amour n'est pas ce sentiment tout-puissant que décrivent la littérature romantique et les chansons populaires. Il va de soi qu'il s'agit d'une émotion puissante mais il arrive qu'elle ne soit que passagère. L'amour aveugle parfois, mais ce n'est pas l'émotion la plus puissante que nous éprouvions. Nous sommes *capables* de le contrôler et il mourra à l'instant où nous le déciderons.

Fuir un milieu familial

D'aucuns se marient non par amour mais par dépit. Ils ne désirent pas unir leur vie à une personne précise, mais fuir un environnement oppressant. C'est l'une des motivations les plus tristes. Une jeune fille ou un jeune homme qui ne supporte plus son milieu familial verra dans le mariage un moyen de fuite et épousera « le (ou la) premier(e) venu(e). Cette attitude est plus fréquente chez les filles que chez les garçons. Ces derniers préfèrent le plus souvent partir à l'aventure.

Je comprends parfaitement que certains jeunes désirent fuir des parents alcooliques, violents, etc. Epouser le premier venu risque toutefois de les plonger dans une situation pire que la précédente. Se marier prématurément et par dépit n'est pas le meilleur moyen de s'assurer une vie paisible et sécurisante. Suivez plutôt mon conseil : si vous jugez que la situation sous le toit parental est par trop insupportable, partez ! Cherchez-vous un emploi. Emménagez chez un(e) ami(e). Trouvez un moyen de subvenir à vos besoins. Mais ne vous mariez pas. Vous amènerez avec vous vos peurs, vos colères, vos sentiments de culpabilité et d'infériorité et vos frustrations.

Le test de compatibilité

La question qui s'impose lorsque vous envisagez de vous marier est la suivante : « Sommes-nous des êtres compatibles ? » Etre compatible revient à être branché sur la même longueur d'ondes. Plus vous êtes compatibles, plus vous serez heureux ensemble. Une fois mariés, n'oubliez pas de surveiller régulièrement votre degré de compatibilité. Vous vous éviterez bien des désagréments.

Comment, me demanderez-vous, évaluer si nous sommes compatibles ou non ? Si votre degré de compatibilité avec votre partenaire est élevé vous répondrez par l'affirmative aux trois questions suivantes :

Question 1 : Mon partenaire *comprend-il* mes désirs et mes besoins profonds ? Je vous invite, pour répondre à cette question, à noter par écrit toutes les frustrations majeures que vous éprouvez par la faute du comportement de votre partenaire — en d'autres termes, tous les traits de caractère qu'il devrait modifier pour que vous l'aimiez plus. Peu importe à ce stade que vos désirs soient déraisonnables. Cette démarche vise à supprimer tous les malentendus qui risqueraient de s'installer entre vous. Il va de soi que si votre partenaire connaît vos griefs à son égard et a à cœur de les prendre en considération, vous serez mieux disposé à son égard que si vous refoulez vos frustrations.

Question 2 : Mon partenaire est-il *capable* de satisfaire mes désirs et mes besoins les plus profonds ?

Certains individus sont incompatibles pour la simple et bonne raison qu'ils sont incapables de satisfaire leurs besoins mutuels. Une femme qui apprécie l'art, qui aime fréquenter les galeries, aller à l'opéra ou au théâtre et collectionner les aquarelles n'est pas compatible avec un homme qui consacre ses loisirs à jouer à la belote au bistrot avec les copains et à regarder les matchs de football à la télévision. Ces deux individus ne se détestent pas, ils n'ont pas de tare quelconque, ils sont tout simplement trop différents l'un de l'autre. Leurs centres d'intérêts ne s'accordent pas.

Question 3 : Mon partenaire est-il *désireux* de satisfaire mes besoins et mes désirs les plus profonds ?

Que votre partenaire *comprenne* vos besoins, qu'il soit *capable* de les satisfaire n'implique pas nécessairement qu'il soit *désireux* de faire l'effort qui s'impose. Un homme me confia récemment qu'il savait parfaitement ce que sa femme attendait de lui, qu'il était capable de la satisfaire, mais qu'il ne désirait plus être le genre d'homme que sa femme désirait. Il répondit donc par la négative à cette dernière question.

Ainsi que je l'ai dit, votre partenaire et vous serez compatibles si vous répondez oui aux trois questions.

Une seule réponse négative indique un certain degré d'incompatibilité qui engendrera des problèmes. Je vous conseille de ne vous marier que lorsque vous obtiendrez trois réponses affirmatives. Si vous êtes déjà marié, efforcez-vous de définir dès que possible quelles sont vos frustrations et de les supprimer.

La raison d'être de toute relation amoureuse

Il est certain qu'au sein d'un couple chaque partenaire doit retirer un minimum de satisfaction de l'autre. Personne n'est totalement désintéressé ; nous attendons tous « quelque chose » de notre conjoint. La question consiste à savoir « Que sommes-nous en droit d'attendre ? » Vous avez le droit de retirer un certain degré de bien-être de toute relation volontairement consentie. Il existe un point d'équilibre affectif à partir duquel vous appréciez votre relation. Vous jugez que la vie n'est pas trop déplaisante, que vous êtes heureux d'être marié ou amoureux et que bien que la situation ne soit pas « parfaite », elle vous donne néanmoins satisfaction. Le point à partir duquel vous êtes à même de tenir un tel raisonnement se nomme le *Point de Satisfaction Raisonnable* (PSR). La raison d'être d'une relation amoureuse consiste à vous assurer à tout moment un état se situant au-dessus de ce point limite. Si les deux partenaires reconnaissent évoluer au-dessus du PSR, ils ont peu de raison de se plaindre et sont parfaitement justifiés de vivre ensemble.

Accepter de vivre dans un état de frustration inférieur au PSR entraîne trois conséquences graves.

La première paraît évidente : vous serez un être

perturbé, malheureux et frustré. Si vous êtes continuellement insatisfait, vous succomberez finalement à la dépression, vous deviendrez infidèle, vous perdrez le sommeil, vous vous adonnerez à la boisson ou vous reporterez vos frustrations sur vos enfants. D'aucuns recourront à une thérapie pour retrouver un état de calme raisonnable ; il est toutefois peu probable qu'ils connaissent jamais le bonheur.

La deuxième conséquence est que vous finirez par ne plus aimer votre partenaire. Après tout, pourquoi aimeriez-vous quelqu'un à qui vous ne devez que des frustrations ? Il faut être inconscient (et désespéré) pour aimer quelqu'un qui ne vous rend pas heureux.

Cette perte d'amour est en général progressive et lente ; chaque nouvelle injustice, chaque nouvelle frustration venant grossir la déception globale. Si vous passez la majeure partie de votre temps en dessous du seuil du PSR vous en arriverez à ne plus éprouver le moindre sentiment d'amour à l'égard de votre partenaire. Peu importe l'amour que vous éprouvez au départ, il s'épuisera. L'amour meurt à défaut d'un degré de satisfaction suffisant.

Vous n'avez pas à vous sentir coupable de ne plus aimer. Vous n'avez pas à vous sentir coupable de rejeter quelqu'un qui vous néglige. Vous ne commettez aucun acte répréhensible ou critiquable. Vous agissez de manière saine, raisonnable et sensée.

La troisième conséquence d'un état de frustration inférieur au PSR est que votre relation perdra en définitive toute importance à vos yeux. Dans une relation employeur/employé la décision serait simple : vous donneriez votre préavis. Dans une relation conjugale vous en arriverez à vous dire que votre relation est dépourvue de sens. Qu'elle ne représente plus rien pour vous. Que vous n'avez aucune raison de continuer à vivre de la sorte.

De nombreuses personnes éprouvent un sentiment de culpabilité à l'idée de mettre un terme à leur mariage. Cette réaction est aussi hors de propos que dans le cas de quelqu'un qui cesse d'aimer son partenaire. Il est indispensable de prendre les mesures qui s'imposent lorsqu'un mariage bat de l'aile. C'est votre devoir. Souvenez-vous que vous ne vous êtes pas marié pour le bien de votre partenaire, mais pour le vôtre. Vous ne prenez pas un emploi pour faire plaisir à votre patron, mais pour gagner votre vie. Vous vous mariez, vous prenez un emploi, vous entretenez des amitiés parce que cela contribue à votre bonheur. Lorsqu'une situation, quelle qu'elle soit, ne vous donne plus satisfaction vous êtes bien avisé d'agir en conséquence. Si votre mariage est source de frustrations, de désagréments ou de difficultés vous êtes également bien avisé de songer à y mettre un terme. Vous ne faites de bien à personne en sacrifiant votre bonheur pour autrui, en revanche vous vous faites du tort. En fait, vous faites également du tort à votre partenaire parce que vous le confortez dans son attitude, vous faites de lui un « enfant gâté ». Le jour viendra inévitablement où vous partirez. Si votre relation conjugale vous importe tant, n'hésitez pas à remettre les choses à leur place de temps en temps, et à faire comprendre à votre partenaire qu'il y a certaines limites à ne pas franchir.

Admettez qu'une relation ne sera épanouie que si les deux partenaires en retirent un degré de satisfaction raisonnable. Si tel n'est pas le cas, le plus frustré des deux a le devoir, l'obligation morale de prendre les mesures qui s'imposent pour modifier cette situation. La raison d'être d'une relation est donc de vous procurer un degré de satisfaction tel que vous n'ayez pas la moindre envie d'y mettre un terme. Si vous y parvenez, elle sera épanouissante pour vous et votre conjoint.

III

LE MEILLEUR MOYEN
DE CONNAÎTRE L'AMOUR

La meilleure attitude à adopter lorsque vous rencontrez une personne pour la première fois consiste à considérer qu'elle est aimable, qu'elle ne vous veut pas de mal et qu'elle vous traitera avec prévenance pour autant que vous fassiez de même. Ceci revient, en essence, à appliquer la règle 1 : si quelqu'un vous traite avec amabilité, récompensez-le aussitôt en le traitant avec autant d'amabilité.

On parle en ce cas de renforcement positif ; c'est l'un des principes de la théorie d'apprentissage animal et humain qui fait l'objet d'études en laboratoires. Les chercheurs ont en effet observé que : vous renforcez un comportement en le récompensant. Nous disons en jargon psychologique que le comportement est renforcé. Songez à la force étonnante que représente ce principe si vous savez l'utiliser à bon escient. Si vous savez ce qui importe à votre partenaire, il paraît évident que vous le rendrez heureux en renforçant les comportements qui le satisfont.

Supposez que vous désiriez que votre époux perde quelques kilos afin d'être plus séduisant. Pour commencer, conservez la règle 1 présente à l'esprit à tout instant. Si vous réussissez à le décider à faire du jogging avec vous mais que vous n'émettiez jamais aucun commentaire sur cette activité commune, il s'en désintéressera et la délaissera. S'il refuse spontanément un dessert et que vous ne le félicitiez pas pour sa volonté de caractère, il risque de ne plus faire d'effort à l'avenir. Il ne faut pas être un génie pour comprendre que si vous désirez que votre époux continue à faire des efforts, il convient que vous l'encouragiez dans cette voie en lui montrant, par exemple, que vous appréciez sa démarche.

Vous avez le sentiment que j'énonce des évidences ? La théorie est simple, je vous le concède, mais, croyez-moi, la mise en pratique l'est beaucoup moins. Renforcer un comportement soulève certains problèmes qui ne sont pas immédiatement apparents.

Qu'est-ce qu'une récompense ?

Nous avons chacun notre conception personnelle de ce qui constitue une récompense. Ne croyez pas que ce qui vous procure un immense plaisir, satisfera nécessairement autrui. Il existe des « renforçateurs » primaires tels que la nourriture, l'eau, le sommeil, la chaleur, etc. qui sont indispensables à la survie physique. Ils constitueront presque toujours des récompenses. Un vêtement, un compliment ou une augmentation ne sont pas des récompenses « universelles ». Tout dépend de la personne qui les reçoit, de son âge, de sa personnalité, de sa situation particulière à l'époque où elle reçoit ces récompenses. Offrir un manteau de fourrure à une femme qui en possède déjà six ne l'impressionnera guère. Inviter son mari au restaurant pour célébrer son anniversaire sera une mauvaise idée s'il s'agit d'un homme d'affaires qui prend de toute façon 90 % de ses repas au restaurant. Un dîner à la maison à plus de chances de le satisfaire.

Le moment de la récompense

L'effet que produira une récompense dépend également du moment où vous la ferez. Il importe que la personne qui la reçoit soit dans un état d'esprit qui lui permette de l'apprécier. Mijoter un bon petit repas pour quelqu'un qui n'a pas faim n'est pas une excellente idée. Offrir une mobylette à un homme de quarante ans sous prétexte qu'il en rêvait quand il était adolescent est une preuve de manque d'imagination et d'à propos. Montrer votre affection à votre partenaire en lui susurrant « Je t'aime », alors qu'il vient de vous demander une faveur pour la centième fois est peut-être mal venu.

La fréquence du renforcement

La fréquence d'une récompense conditionne l'effet qu'elle produit. Si vous désirez influencer le comportement de votre partenaire il convient non seulement que vous lui donniez une récompense appropriée au bon moment, mais encore que vous la répétiez avec une fréquence qui aura le plus d'impact. Il existe deux manières de récompenser son partenaire : sur une base permanente ou intermittente. Dans le premier cas, vous récompensez un comportement désiré à chaque fois qu'il advient. Il est évident que ce faisant vous le renforcerez rapidement. Le risque existe toutefois : si pour une raison ou pour une autre vous omettiez de récompenser une action appréciable, votre partenaire cessera de réagir comme vous l'espérez.

Vous ne récompenserez votre partenaire que de temps à autre, si vous choisissez la méthode du renforcement *intermittent*. Il ne sera ainsi pas déçu s'il ne reçoit pas une récompense à un moment précis et n'en continuera pas moins à s'efforcer de vous satisfaire dans l'espoir de recevoir une nouvelle récompense.

N'est-il pas curieux de constater que l'on obtient de meilleurs résultats en distillant ses récompenses ?

En résumé : gardons bien présent à l'esprit que pour être aimé il convient de savoir :

a) ce qui représente une récompense pour votre partenaire à un moment précis ;

b) à quel moment dispenser une récompense ;

c) et enfin qu'il est préférable de recourir à la méthode du renforcement intermittent.

Les récompenses psychologiques les plus appréciées

Si vous désirez être quelqu'un d'aimant et d'aimé, il est capital que vous compreniez l'importance qu'il y a à récompenser les comportements appréciables. Il importe, ainsi que nous venons de le voir, d'individualiser vos récompenses, de les adapter à la personnalité de votre partenaire. Sachez toutefois qu'il existe certaines récompenses qui satisferont quasiment tout le monde, dans quasiment toutes les circonstances.

Vous n'imaginez pas combien les encouragements influencent le comportement d'autrui à votre égard. Si vous louez les actions d'un individu, vous renforcez sa confiance en soi, son respect de soi et le sentiment qu'il a de sa valeur personnelle. Les erreurs qu'ils commettront et les rejets dont ils feront l'objet les affecteront moins puisque vous leur avez montré combien vous les appréciez. Vous désirez que votre partenaire vous aime ? Alors suivez mon conseil : *Accentuez ses aspects positifs et ignorez les négatifs.* Il est presque impossible de ne pas être influencé par une personne qui vous traite avec autant d'égards.

Nous ne nous encourageons jamais suffisamment les uns les autres. Nous partons du principe que « personne n'a assez de bons côtés pour justifier des encouragements permanents ». Nous craignons même de transformer un adulte en un enfant gâté à force de lui adresser des louanges.

Permettez-moi donc d'expliquer ce que j'entends par « un encouragement ». Un encouragement consiste dans mon esprit à louer le comportement d'un individu et non à faire l'éloge de la personne elle-même. Il est essentiel que nous établissions une distinction entre un *individu* et son *comportement,* donc que nos commentaires portent sur les actions et non sur les personnes. C'est selon moi le meilleur moyen d'encourager un individu, car ce faisant vous n'émettez pas de jugement de valeur sur l'individu lui-même. Si nous agissions ainsi dès les premières années de la vie d'un enfant, il apprendrait à ne jamais se détester pour ses mauvaises actions et donc à ne jamais éprouver de sentiment de supériorité ou de fatuité pour ses bonnes.

Vous conviendrez avec moi, si vous comprenez la distinction établie ci-dessus, qu'il est plus aisé et moins risqué de louer le comportement d'une personne que la personne elle-même. En agissant ainsi, vous éviterez à votre interlocuteur de se croire sorti de la cuisse de Jupiter. En d'autres termes, si vous aimez la manière de danser de votre partenaire, pourquoi ne pas le lui dire ? Si vous voulez être aimé et si vous voulez exprimer votre amour, donnez ! Donnez en grandes quantités. Dites des choses aimables à votre partenaire. Ce genre d'attitude est malheureusement trop rare. Les gens préfèrent s'adresser des critiques que des éloges. Je prétends quant à moi qu'il existe autant d'occasions d'encenser que de blâmer. Votre partenaire est à l'heure à un rendez-vous ? Complimentez-le sur sa ponctualité. N'hésitez pas à dire « merci ». Prenez la peine de remarquer les attentions que votre partenaire a à votre égard et que vous considérez comme allant de soi. Rien ne va de soi.

Certains clients m'ont affirmé qu'il ne leur serait jamais possible de suivre mon conseil. Ils auraient le sentiment de passer pour des hypocrites s'ils louaient constamment le comportement de leur conjoint. C'est une mauvaise excuse ! Cette impression tient à ce que ce comportement vous est étranger. Plus vous le pratiquerez, plus il vous deviendra familier et moins il vous paraîtra hypocrite.

S'il était vrai qu'on transformait un adulte en enfant gâté à force de lui adresser des compliments, je serais le premier à déconseiller cette attitude. Si vous limitez vos commentaires aux actions ponctuelles de la personne, vous ne courez aucun risque de ce genre. Ce n'est pas l'individu dans son ensemble qui est digne d'éloges ; c'est un comportement bien précis. N'oubliez pas cette distinction subtile mais essentielle.

Charme et tendresse

Comment est-il possible de ne pas aimer un être charmant, prévenant, tendre et aimable ? Les individus raffinés, bien élevés, polis et ouverts sont probablement les plus appréciés. Quel plaisir d'être en compagnie de quelqu'un qui non seulement sait parler, mais qui encore sait écouter. Il va de soi que de tous les talents sociaux, certains sont plus appréciés que d'autres.

Si vous voulez aimer et être aimé, apprenez à être charmant, prévenant et tendre. Quelles réticences, quelles colères résisteraient à la chaleur, à la gentillesse et à la prévenance d'une relation tendre ? Nous avons tous connu des gens ainsi faits. Ils étaient toujours les individus les plus recherchés. Ils ont l'art de se faire aimer et de faire apprécier leur compagnie. Nous n'hésitons pas à les inviter chez nous, et nous avons toujours un sourire aux lèvres lorsque nous songeons à eux.

Apprenez donc ces « techniques sociales » si vous souhaitez aimer et être aimé. Comment vous y prendre ? J'ai longuement réfléchi à la question et j'en suis arrivé à la conclusion que l'obstacle le plus évident à la gentillesse est la défensive. Il est difficile de se montrer attentionné et chaleureux en étant continuellement sur la défensive. Etre sur la défensive consiste à vouloir prouver que vous avez toujours raison et que votre interlocuteur à tort ; vous devez par conséquent être attentif afin de le prendre en faute. Ne trouvez-vous pas que les personnes qui sont toujours prêtes à relever vos erreurs sont insupportables ? Elles ont l'art de trouver le défaut de notre cuirasse. Il en résulte que lorsqu'elles vous adressent un compliment vous ne savez jamais ce que cela cache.

Un être qui n'est pas constamment sur la défensive visera plus à préserver l'harmonie dans une relation qu'à avoir raison. Qu'un homme fasse une remarque avec laquelle sa femme est en désaccord, elle n'hésitera pas à le corriger. S'il s'obstine, elle précisera qu'elle est convaincue d'avoir raison mais que l'erreur est humaine et la discussion en restera là. N'est-ce pas merveilleux ? Cette femme s'est affirmée, elle a dit ce qui lui tenait à cœur mais elle n'en a pas fait un drame parce que le sujet n'en valait pas la peine.

De tels individus sont appréciés parce qu'ils ne sont jamais agressifs, même lorsqu'ils sont en désaccord avec quelqu'un. Ils traitent les autres avec amabilité et leur accordent le bénéfice du doute. Ils ne sont pas obstinés et ne veulent pas avoir raison à tout prix. S'ils s'aperçoivent qu'ils mettent leur interlocuteur mal à l'aise, ils changent de sujet de conversation — à moins bien sûr que le sujet soit grave. Ne confondez pas amabilité et lâcheté.

Un petit aparté à l'intention des hommes. Je demande souvent à mes clientes ce qu'elles trouvent de si attrayant chez un homme, lorsque celui-ci semble recueillir tous leurs suffrages. La réponse est presque invariablement : il est charmant, tendre et prévenant. Peu importe qu'il soit beau ou non, riche ou pas, élégant ou non... Je suis convaincu que les femmes apprécient un homme qui n'est pas constamment sur la défensive, qui a des opinions, qui est prêt à les défendre mais qui n'hésite pas à détourner le cours de la conversation s'il s'aperçoit qu'il évolue sur un terrain glissant. Les femmes remarquent et respectent de tels individus. Je vous conseille de garder cela présent à l'esprit, messieurs.

Les désirs et les besoins profonds

Il importe, si vous ne désirez pas faire d'erreur dans le choix de la récompense que vous réservez à quelqu'un dont vous voulez vous faire aimer, que vous possédiez une bonne compréhension de ses désirs et de ses besoins les plus profonds. Ce sont les fondements mêmes de la relation amoureuse que vous cherchez à établir. Il doit être évident à ce stade que vous ferez naître des sentiments très positifs à votre égard chez votre partenaire si vous savez vous montrer charmant, tendre et prévenant. Ceci n'est toutefois pas suffisant pour le décider à vous épouser et à lier sa vie à la vôtre. Il faut pour en arriver là que vous possédiez en outre une connaissance intime de ses désirs et de ses besoins profonds. Si vous réussissez alors à les satisfaire *à un degré raisonnable,* vous prendrez beaucoup d'importance aux yeux de votre partenaire. C'est sciemment que je parle de désirs *profonds,* car la satisfaction de désirs frivoles n'a jamais débouché sur un mariage.

Ainsi, n'hésitez pas à prendre le temps de discuter avec votre partenaire de ses désirs et de ses besoins profonds. Demandez-lui franchement ce qu'il attend de vous. Notez ses réponses par écrit afin de les avoir toujours à portée de la main et de pouvoir vous rafraîchir la mémoire en cas de nécessité. Alors seulement vous saurez ce qu'il convient de faire pour assurer l'harmonie de votre relation.

Les secteurs de conflit

Des individus qui comprennent mutuellement leurs désirs et leurs besoins les plus profonds ne sont toutefois pas à l'abri des frustrations et des conflits. N'oubliez pas que même si votre partenaire est source de multiples frustrations, il lui suffirait bien souvent de modifier un comportement *majeur* pour que vous preniez à nouveau plaisir à sa compagnie. Nous ne devons pas nous attendre à obtenir la satisfaction de nos moindres désirs. Si le problème n'est pas d'une importance capitale, ignorez-le. Dans le cas contraire, apprenez à faire des compromis. Si vous cédez sur un point important, tenez bon sur un autre.

Le mariage est, nous l'avons vu, une « entreprise » amoureuse. Je suis persuadé que pour le réussir il est bon de s'asseoir fréquemment autour d'une table pour « négocier » nos désirs et nos frustrations. Il faut savoir céder sur certains points, et se montrer ferme sur d'autres. Comme dans n'importe quelle discussion d'affaires.

Intéressons-nous, sans perdre cela de vue, à quelques secteurs particuliers de conflit :

La responsabilité financière :

Lorsqu'ils abordent ce sujet, mes clients se plaignent 'de ce que leur partenaire est trop dépensier, qu'il néglige de surveiller l'état du compte en banque, qu'il engage seul des dépenses considérables, qu'il néglige de consulter son partenaire, ou qu'il est au contraire pingre. De nombreuses femmes se plaignent que leur époux désire tenir les cordons de la bourse et les oblige à « mendier » l'argent du ménage.

Les hommes déplorent souvent que leur femme ait une attitude légère à l'égard de l'argent, « comme s'il poussait sur les arbres ! ». Elles leur demandent parfois d'en ramener plus à la maison. Les hommes arguent que leur épouse étant coupée du monde du travail n'apprécie pas les réalités économiques à leur juste valeur. Comment pourraient-ils ramener plus d'argent à la maison, simplement parce que « Madame » le désire ?

Les enfants :

Les différences de conception quant à l'éducation des enfants sont souvent l'une des sources de tension et de différends les plus complexes. Voilà qui est parfaitement compréhensible. La discipline, les valeurs morales, la religion et l'autodiscipline sont des concepts importants et les problèmes qu'ils engendrent sont souvent graves — ce ne sont pas des questions de détail. Un père qui a une idée précise de la discipline et n'hésite pas à se montrer ferme, au risque de se faire temporairement détester de ses enfants, respectera difficilement une mère qui passe tout à ses enfants. De même, une mère aimante et prévenante sera scandalisée par un homme qui crie sur ses enfants et qui n'hésite pas à les corriger. Elle en arrivera même à le détester.

Ne sous-estimez jamais la haine ou le dégoût qui naissent en vous si vous ne respectez pas votre partenaire en tant que mère ou père de vos enfants.

C'est la raison pour laquelle je n'insisterai jamais assez sur l'importance de discuter de vos conceptions respectives de l'éducation afin d'arriver à un compromis satisfaisant pour l'un et l'autre.

La sexualité :

La nature de la relation sexuelle au sein d'un couple est capitale pour la survie de ce couple. La caractéristique qui distingue en général une relation amicale d'une relation amoureuse est la présence de l'élément sexuel dans la seconde. Des amants sont des amis qui partagent le même lit.

Voici les griefs les plus fréquemment avancés par les hommes en matière de sexualité :

1. Ils désirent entretenir des relations sexuelles plus fréquentes avec leur épouse ;

2. ils regrettent que celle-ci ne prenne pas plus souvent l'initiative ;

3. ils déplorent le besoin de leur femme d'être constamment rassurée quant à leur amour au moyen de petits gestes affectueux et de grandes déclarations verbales.

Les femmes aussi ont leurs griefs. Elles n'aiment pas en général la brusquerie et les attitudes par trop cavalières. Elles apprécieraient un peu plus de délicatesse. Elles préfèrent les mots tendres aux mots crus, le langage des poètes à celui des corps de garde.

Les femmes aiment également prendre leur temps quand elles font l'amour. Les hommes pressés leur déplaisent toujours. Cette différence de rythme tient à une différence physiologique. Les femmes sont plus lentes que les hommes à atteindre l'orgasme.

Une autre plainte de nombreuses femmes tient au

fait que leur mari les oblige parfois à faire l'amour après une scène de ménage. Elles sont stupéfaites qu'il puisse songer à faire l'amour après les avoir traitées de tous les noms. Les femmes font l'amour plus avec leur cœur qu'avec leur corps, et si elles ne sont pas dans le bon état d'esprit elles n'en retireront aucune satisfaction. Je suis persuadé que si un homme désire être un bon amant, il lui faut avant tout savoir se montrer affectueux. Les femmes sont plus soucieuses de la qualité que de la quantité, lorsqu'il s'agit de sexualité.

Les beaux-parents :

Les problèmes avec la belle-famille ne sont peut-être pas fréquents mais lorsqu'ils existent ils sont de taille. Ils proviennent en général de l'ingérence des beaux-parents dans les affaires du ménage. Le mari est demeuré trop attaché à ses parents et accorde plus d'importance à leurs opinions qu'à celles de son épouse. Ou c'est elle qui est dominée par sa mère et qui passe plus de temps en sa compagnie qu'avec son mari, qui a ainsi l'impression de ne pas être l'être le plus important aux yeux de son épouse.

Les activités professionnelles :

Elles peuvent interférer de bien des manières dans la vie d'un couple. Comprendre l'origine du problème est indispensable à l'équilibre du couple.

Certaines femmes se plaignent que leur mari accorde trop d'importance à son travail. Elles ont l'impression que ce dernier est plus important qu'elles. Les hommes ramènent facilement du travail à la maison, refusent rarement de faire des heures supplémentaires, la femme se sent alors délaissée, ignorée et souffre de solitude.

Certaines professions sont en soi des sources de frustrations. Les médecins sont dérangés à toute heure du jour et de la nuit. Ils sont souvent contraints d'interrompre leurs repas et ignorent ce que veut dire le mot week-end. Une femme qui épouse un médecin sans être disposée à accepter ce mode de vie est inconsciente.

Les emplois, qui nécessitent des déplacements fréquents ou qui comportent des prestations de nuit, sont également sources de conflits. Le cas est encore plus grave si les conjoints ont des heures de travail incompatibles.

Certaines femmes souffrent de n'être « que » des ménagères. Elles aimeraient reprendre leurs études afin de pouvoir décrocher un jour un travail intéressant et donc s'épanouir elles aussi plutôt que d'être confinées dans leur appartement du matin au soir. Les hommes qui manquent de confiance en soi voient d'un mauvais œil le désir de leur épouse de pousser plus avant leurs études. Ils sont anxieux à l'idée que leur femme accède un jour à un poste de direction alors qu'eux demeureront de simples employés.

Une autre difficulté liée à l'activité professionnelle tient au fait que l'homme qui rentre chez lui après une journée de travail considère qu'il n'a pas à aider son épouse dans les tâches ménagères. Il s'estime libre de regarder la télévision, d'aller prendre un verre avec des amis, ou d'aller faire une partie de pétanque. Les femmes n'apprécient pas cette attitude. Elles aussi ont fait leur journée de travail. Si un homme veut mériter l'amour de sa femme, il doit prendre conscience de l'injustice qu'il y a à considérer que les huit heures de travail qu'il a derrière lui ont plus de valeur que les huit heures de travail de sa femme. C'est une idée « macho » qui a malheureusement la vie dure. En outre, lorsque sa journée de travail à lui se termine, celle de sa femme se poursuit.

Les relations sociales

Je suis surpris de constater, lorsque je discute avec des couples sur le bord de la rupture, que les deux conjoints déplorent de ne pas avoir une vie sociale plus active. Je constate que les couples ayant une vie sociale épanouie sont les plus solides. Se rendre au cinéma une fois par semaine en famille a quelque chose de particulièrement ennuyeux à la longue. La perspective en revanche de passer une soirée détendue avec des amis confère un certain allant et est un excellent antidote à la morosité. Un couple qui partage ses amis, partage sa vie.

Les habitudes déplaisantes

Demandez-vous si votre partenaire a des habitudes déplaisantes qui vous paraissent sans importance mais dont la répétition finit par provoquer votre colère. Mentionnons à titre d'exemple, le fait de grincer des dents, de renifler constamment plutôt que d'utiliser un mouchoir, etc. Je connais de nombreuses femmes qui trouvent insupportable que leur mari raconte des histoires grivoises en public.

Les habitudes déplaisantes sont rarement graves au

point de mettre une relation en danger. Il n'empêche qu'elles s'accumulent parfois et acquièrent alors une importance critique. Intervenez avant qu'il ne soit trop tard.

Quelques indications

Voici quelques remarques types qui expriment les plaintes que j'entends le plus souvent dans la bouche de mes clients. J'espère qu'elles vous aideront à mieux comprendre ce que j'entends par frustrations majeures.

1. Il est inutile de crier pour me parler, je suis un adulte.

2. Dis-moi où tu vas lorsque tu quittes la maison.

3. J'ai mon mot à dire dans les dépenses du ménage.

4. Sois plus constant dans ton attitude à l'égard des enfants.

5. Dis-moi quelles sont tes préférences sexuelles et ce que je puis faire pour mieux te satisfaire.

6. Ne sois pas aussi intolérant à l'égard de ma mère.

7. Sortons plus souvent. Prends aussi la peine de chercher une baby-sitter de temps en temps.

8. Sois plus affectueux, sans pour autant songer immédiatement à faire l'amour.

9. Ne passe pas tes nerfs sur notre fils.

10. Cesse de me mettre dans l'embarras en faisant des plaisanteries de mauvais goût en public.

11. Ayons plus d'activités communes.

12. Participe un peu plus à la vie du ménage lorsque tu rentres le soir.

13. Cesse de tambouriner des doigts sur la table.

14. Apprends à aimer la musique ou tout au moins tolère-la.

15. Si tu ne veux pas faire l'amour, dis-le, mais ne m'adresse pas de reproches après l'avoir fait.

16. Cesse de mordiller tes ongles.

17. Montre-toi plus soigneux.

18. Accepte l'idée que je travaille et reconnais que cela nous permet de vivre plus confortablement.

19. Sois plus ordonné et plus ponctuel.

20. Cesse de déformer mes propos.

Cette liste n'est pas exhaustive. A chaque fois que je réussissais à faire disparaître ou à réduire ces frustrations au sein d'un couple, l'amour des conjoints s'en trouvait presque toujours conforté. Cette évolution est parfaitement logique ; elle est en accord avec la Règle 1 : si on vous traite avec prévenance, faites montre de prévenance.

Quelques techniques particulières pour mériter plus d'amour

Déterminez le seuil de tolérance physique et affective de votre partenaire en matière d'intimité.

Je me souviens d'avoir invité un jour un jeune couple à dîner. La femme me serra la main avec une telle intensité au moment de partir que je ressentis un léger malaise. Son attitude n'avait rien de provocant ni d'équivoque ; c'était sa manière de prendre congé. Elle aimait se montrer chaleureuse. Si deux individus ont la même attitude à l'égard de l'intimité, ils possèdent un avantage considérable sur ceux qui doivent apprendre à déterminer quel est le seuil de tolérance de leur partenaire.

Certains couples connaissent ce dilemme de manière très nette. Tel homme n'aime pas s'installer à côté de sa femme en public ; il n'aime pas lui tenir la main ni lui dispenser des marques d'affection. Il l'aime énormément, il est très prévenant et fidèle, mais il éprouve un certain malaise à l'exprimer en public.

Son épouse en souffre profondément. Elle aimerait qu'il se montre plus démonstratif, qu'il lui caresse la main en parlant, qu'il la prenne dans ses bras lorsqu'ils sont installés côte à côte sur un divan, etc. Il n'existe que deux solutions possibles à cette situation. Le mari devra faire un effort pour surmonter sa timidité et extérioriser plus ses sentiments. Ou l'épouse devra se convaincre que de telles démonstrations sont parfaitement inutiles, son mari lui prouvant amplement son amour en d'autres circonstances. Négliger un problème apparemment aussi trivial ne fera que l'aggraver en augmentant le sentiment de frustration et de malheur.

Sachez choisir les mots que vous utilisez

Ce que les gens disent et la manière dont ils s'expriment n'est pas ce qu'il y a de plus important. J'attache personnellement plus d'importance à ce qu'ils font. Il n'empêche que lorsque nous recherchons les meilleurs moyens de faire naître l'amour, nous devons convenir que les mots *sont* importants. Il est fréquent que ce que nous disons et la manière dont nous le disons influencent le jugement des autres à notre égard. Il arrive même que cela conditionne l'amour que nous désirons inspirer.

D'aucuns éprouvent des difficultés à dire : « Je t'aime ». Ces trois mots ont pourtant quelque chose de magique, presque de mystique. Il s'en dégage une sensation de réconfort, de chaleur et de bonne volonté sans égale lorsqu'ils sont prononcés avec sincérité.

Des mots vulgaires ont un impact aussi négatif que les mots doux ont un impact positif. Evitez les grossièretés et les gauloiseries si vous désirez vous faire aimer. Evitez également d'élever la voix. Crier est un signe de danger pour celui qui vous écoute — celui qui crie, lui, en a rarement conscience. Les hommes en particulier — mais les mères aussi — ne comprennent pas bien souvent que leur épouse — ou leurs enfants — se sentent menacés par les cris. Ils ne remarquent pas que les cris engendrent la peur, l'angoisse, le malaise voire la panique.

Certaines femmes n'ont pas la force d'imposer leurs volontés à leur mari, elles recourent donc à des moyens plus subtils et moins violents. La verve féminine est souvent supérieure à celle des hommes. Elles opposent leurs plaintes aux cris de leur époux. Cette démarche donne souvent d'excellents résultats. Mais point trop n'en faut. Si vous en faites un système cela se retournera contre vous et vous en pâtirez.

Les dangers de l'amour excessif

Il paraît peut-être étrange que dans un chapitre consacré aux meilleurs moyens de susciter l'amour je conseille de ne pas tomber dans le travers de l'excès d'amour. Aussi étrange que cela paraisse, mon expérience m'a convaincu qu'il n'est pas bon d'être trop bon.

Il me revient le cas d'une femme d'âge mûr qui mit beaucoup d'amour à élever ses enfants. Son mari demanda un jour le divorce. Les enfants étant en âge de choisir le parent avec lequel ils désiraient vivre, la mère fut bouleversée de les voir se tourner vers leur père. Elle s'était toujours montrée aimable, soucieuse de leur bien-être et elle ne comprenait qu'ils lui préfèrent un père autoritaire et à cheval sur la discipline.

Elle fut encore plus malheureuse de constater par la suite que ses enfants ne prenaient presque jamais la peine de lui téléphoner et ne lui rendait jamais visite alors qu'elle habitait à deux pas de chez eux. Elle ne prétendait pas qu'ils étaient hostiles à son égard ni qu'ils ne l'aimaient pas. Ils ne paraissaient tout simplement pas apprécier tout ce qu'elle avait fait pour eux. C'est ce qui la blessait le plus.

Si vous aimez un enfant ou un adulte mais que vous n'attendez pas de démonstration d'affection de sa part, cette personne vous « aimera bien » mais elle ne vous « aimera » pas. On est rarement amoureux d'individus qui nous rendent service mais ne demandent jamais rien en retour (si ce n'est de l'argent). Ces gens deviennent nos employés et bien que nous

apprécions leur loyauté, leur départ ne nous boule-
verse pas outre mesure. Nous n'éprouvons pas le
besoin de nous soucier de leur sort puisque nous leur
avons payé leur dû.

Pour que naisse une expérience d'amour *mutuel*
entre deux personnes, il convient que les désirs et les
besoins de l'un *et* de l'autre soient satisfaits. Lorsque
l'un des partenaires est seul à être comblé, il devient
le maître et l'autre un serviteur. Il en résulte logiquement que ma cliente qui donnait continuellement sans
jamais recevoir au retour, était une servante.

Comment ma cliente aurait-elle dû s'y prendre pour
inspirer de l'amour à ses enfants ? Je crois qu'elle a eu
tort de les aimer alors qu'ils la négligeaient. Elle
aurait dû leur refuser ses services tant qu'ils ne lui
avaient pas « remboursé », pour ainsi dire, ceux
qu'elle leur avait déjà dispensés. Il est possible de
refuser son affection, ses services, ses faveurs de
manière très gentille pour commencer. La raison
d'être de cette démarche consiste à faire naître chez
l'autre un malaise, et donc une prise de conscience de
sa négligence. En agissant ainsi, vous influencerez
une relation à votre avantage. C'est en dispensant un
amour *conditionnel* que vous démontrerez votre capa-
cité à créer une inquiétude, une frustration voire une
peur chez votre partenaire. Vous lui indiquez par ces
actes de frustration que vous ne tolérerez pas plus
longtemps son comportement mesquin, que vous
attendez un peu plus de considération de sa part et
que s'il n'en tient pas compte vous êtes disposé à lui
retirer votre amour.

Votre partenaire ou vos enfants comprendront à ce
moment que vous avez aussi le pouvoir de les mettre
mal à l'aise, de leur faire regretter de vous avoir

négligé. Ils s'intéresseront plus à vous afin de comprendre ce que vous désirez et de vous le procurer dans l'espoir d'avoir droit à nouveau à votre affection. Bref, à moins de satisfaire certains de vos désirs et de vos besoins profonds, ils se verront mener la vie dure et seront privés d'amour.

Comprenez-vous maintenant pourquoi une relation à sens unique ne débouche jamais sur un amour partagé ?

Nous avons tous eu l'occasion de constater que les personnes les plus respectées sont celles qui ne « se laissent pas marcher sur les pieds ». En revanche, les individus soumis et humbles font souvent l'objet d'abus de la part d'individus décidés à retirer le maximum d'avantages d'une relation.

Suivez donc mon conseil : dispensez un amour conditionnel (sauf à l'égard des enfants en bas âge, des animaux et des personnes âgées). Ne donnez rien sans contrepartie. Si vous voulez aimer et être aimé, apprenez à mettre votre partenaire, vos parents ou vos enfants mal à l'aise lorsqu'ils vous négligent. Agissez ainsi non seulement pour votre bien, mais encore pour le leur. Il me paraît en effet regrettable d'élever des enfants sans leur faire comprendre que l'amour est un sentiment qui se partage, un sentiment qui *doit* être réciproque.

Savoir dire « non »

Certains hommes bien intentionnés s'imaginent à tort qu'ils s'assureront l'amour inconditionnel de leur compagne en cédant à tous ses caprices. Plus ils leur accordent de faveurs, plus ils sont persuadés qu'elle les aime et désire les rendre heureux. Mon expérience m'a enseigné qu'il est salutaire de savoir dire « Non » de temps à autre. Les femmes en particulier *veulent* que leurs partenaires rejettent certaines de leurs exigences.

Comprenez, messieurs, qu'une femme souhaite que son partenaire soit fort, qu'il soit prompt à prendre des décisions, qu'il ait du caractère ; bref, qu'elle puisse compter sur lui en cas de coup dur.

Elle n'hésitera pas à le mettre à l'épreuve. Elle se montrera difficile à vivre, exigeante, déraisonnable pour voir quelle sera sa réaction. S'il hausse les épaules ou lui cède, elle aura découvert que son protecteur est en réalité un être faible : ce qu'elle redoutait le plus. Elle espérait qu'il se lève et lui tienne tête, qu'il lui fasse comprendre qu'il l'aime mais qu'il est parfaitement capable de vivre sans elle. S'il avait agi ainsi, il lui aurait prouvé qu'il était un homme, un vrai. Qu'il était courageux et capable de faire front à un adversaire — fût-ce elle ? Le malheureux qui cède à tous les caprices de son épouse persuadé de gagner son amour perd en réalité son estime et son respect, donc son amour.

Il arrive que la situation se complique. La femme pose une exigence. Le mari la refuse, mais la situation n'en reste pas là. Son épouse élève la voix, frappe du pied. Elle l'accuse d'être injuste. Elle prétend avoir droit à ce qu'elle demande et avance l'argument ultime : « Tu ne m'aimes plus ». Confronté à une telle furie, le mari craindra de voir son ménage détruit par son entêtement et finira par céder. C'est une erreur. Ce qu'il interprète comme une attitude de rejet de la part de sa femme, fait toujours partie de l'épreuve qu'elle lui fait subir. Elle veut voir jusqu'à quel point elle peut le pousser. A quel moment il rendra les armes. S'il lui tient tête et ne cède pas à ses protestations et à ses cris, il lui donne la preuve qu'il est un individu mûr ; un être fort qui ne se laisse pas impressionner par les crises hystériques d'une femme déraisonnable.

Trois exceptions

J'ai insisté sur l'importance qu'il y a, si on veut aimer et être aimé, à satisfaire les besoins et les désirs profonds de son partenaire, mais avant tout à les comprendre. Cela pose rarement des problèmes et peut être discuté autour d'une tasse de café. Il arrive pourtant que le moyen de se faire aimer d'une personne bien précise soit totalement imprévisible. Les hommes doivent savoir lorsqu'ils font la cour à une femme qu'il y a des exceptions à toutes les règles.

La tradition veut que les femmes apprécient la flatterie, les bijoux, les fleurs, les soupers aux chandelles et la galanterie. La séduction est la première « arme » à laquelle songent les hommes désireux de se faire aimer. Elle est très efficace pour autant que la femme soit dans un état d'esprit réceptif à de telles attentions.

Les hommes oublient souvent que la séduction dispose de multiples moyens d'expression. Ainsi si votre femme désire disposer d'un après-midi de détente pour s'occuper un peu d'elle-même, emmener les enfants au cinéma devient un acte de séduction. Un homme qui aurait une telle attention de manière spontanée serait très apprécié par sa femme. Elle le jugera prévenant, attentionné et tendre.

Il en découle qu'un homme qui participe aux tâches

ménagères, qui aide son épouse à faire le marché, qui conduit sa voiture à l'entretien ou qui prend simplement le temps de lui parler et de s'intéresser à elle aura une femme on ne peut plus aimante. Un homme qui se plaint parce que sa femme n'est pas assez ardente ferait bien de méditer ces quelques réflexions. Le moment idéal pour faire naître l'envie chez sa partenaire n'est pas celui où vous franchissez le seuil de la porte. Il n'y a d'ailleurs pas *un* moment idéal, il y en a une multitude au cours d'une journée.

Une autre constatation qui surprend beaucoup d'hommes est que les femmes n'apprécient pas nécessairement les caresses sexuelles à toute heure de la journée. Si une femme n'est pas dans l'état d'esprit qui s'impose vous lui ferez le même effet qu'un moustique lorsqu'elle désire prendre un bain de soleil. Il est rare qu'une femme qui fait la cuisine apprécie que son mari adoré s'approche d'elle par derrière, la prenne dans ses bras et commencent à lui caresser les seins. Il est des moments où les avances sexuelles agacent purement et simplement les femmes.

Le troisième comportement surprenant concerne les femmes ayant eu des expériences sexuelles malheureuses ou dramatiques par le passé. Il est souvent difficile d'aimer une femme qui a été victime d'un viol, d'un inceste ou qui a été rejetée par des amants précédents. Elle souffre de problèmes émotionnels qu'il n'est pas simple de surmonter. Quoi que son mari fasse, il est incapable de la mettre à l'aise sur le plan sexuel. Il n'a pas créé cette situation et il ne l'entretient pas, son épouse le sait mais rien n'y fait.

Les femmes qui ont subi des traumas sexuels réagissent de diverses manières. Certaines développent un comportement masochiste, d'autres des inhibitions sexuelles, d'autres en revanche se mettent à collectionner les amants. La réaction la plus typique est toutefois une perte de confiance à l'égard des hommes et une peur des situations intimes. Il est difficile d'estimer à quel point cette phobie peut être dramatique à moins de ne l'avoir connue personnellement.

Si votre partenaire a vécu une telle expérience traumatisante, sachez faire preuve de patience. Comprenez que ce n'est pas vous qui faites l'objet de son rejet. Elle a été blessée, bouleversée et il lui faut du temps, beaucoup de temps pour réussir à surmonter ses frayeurs. La précipitation ne fera que nuire à votre relation. En revanche, si vous l'aimez vraiment, profondément et que vous essayez de l'aider avec tendresse, compréhension et patience, si en outre vous êtes capables d'accepter ses rechutes sans vous décourager, vos efforts seront en définitive largement récompensés. Ne cédez jamais à la colère, ne menacez jamais de la quitter, ne l'insultez jamais. Vous ne feriez qu'aggraver son problème. Je le répète, mais cela me paraît capital : sachez vous montrer patient.

Résumé

J'ai évoqué dans ce chapitre l'énorme pouvoir des techniques de renforcement. De toutes les règles favorisant la coopération, le respect et l'amour c'est incontestablement la plus belle et la plus efficace.

La règle 1 préconise que vous vous montriez prévenant avec quiconque se montre prévenant à votre égard. J'ai essayé de vous montrer quels sont les comportements que vous devriez adopter pour vous faire aimer. J'ai également mis en évidence certains comportements contre lesquels vous ne pouvez pas grand-chose, malgré toute votre bonne volonté et votre désir de créer un amour réciproque. Il est évident que la règle 1 n'est pas infaillible. C'est un fait, il vous faut l'accepter. Si les techniques de renforcement étaient efficaces à 100 %, les règles 2 et 3 seraient parfaitement inutiles.

N'oubliez pas que de manière générale plus vous renforcez un comportement plus il devient solide. Sachez que tout comportement existe en raison d'un renforcement. Vous n'en êtes pas toujours conscient, vous ne savez pas toujours qui est à l'origine de ce renforcement, qui dispense les récompenses, c'est que cela se produit parfois de manière fort subtile. Quoi qu'il en soit, si vos efforts n'entraînent pas les modifications escomptées, étudiez de plus près vos propres actions ou essayez de déterminer quelles sont les actions d'autrui qui récompensent inconsciemment ce comportement que vous n'appréciez pas.

Peut-être vous demandez-vous : « Que dois-je faire si quelqu'un me traite mal ? ». C'est une excellente question. Je vais m'efforcer d'y répondre dans les deux chapitres suivants.

IV

L'AUTRE JOUE

La deuxième règle à suivre pour s'assurer coopération, respect et amour est : si on vous traite mal, continuez à faire preuve de prévenance, tendez l'autre joue, souriez, dispensez de l'amour... *pendant un laps de temps raisonnable.*

Vous aurez sans doute remarqué que cette règle évoque un précepte chrétien. Elle suggère qu'il faut savoir se montrer patient avec les gens qui nous font du mal, qu'il faut savoir les aimer malgré leurs « péchés », leur donner le temps et l'occasion de se racheter, bref qu'il convient de « tendre l'autre joue ». C'est un message merveilleux qui nous invite à toujours accorder le bénéfice du doute à qui vous fait du tort. Notre démarche en utilisant la règle 2 consiste à reconnaître que nous avons été frustrés, lésés, négligés mais non pas par méchanceté, par hostilité, non pas dans l'intention de nous nuire mais bien par incompréhension ou par ignorance. C'est pour cette raison que nous sommes disposés à ne pas répondre à l'agression par l'agression, à ne pas condamner notre interlocuteur sans appel. Nous partons du principe qu'une discussion franche permettra de dissiper un éventuel malentendu. Nous espérons que notre patience et notre bonne volonté attesteront de notre bonne foi. Notre intention est de faire tomber les défenses de notre agresseur en lui montrant que nous ne sommes nullement vindicatifs. Nous comptons sur le fait qu'un acte d'amour répondra à un acte d'amour. La littérature abonde en exemples de comportements négatifs qui se modifièrent grâce à la générosité de la victime.

Atteindre un degré de patience et de compréhension qui nous permette de contrôler nos propres émotions névrotiques et destructrices lorsque nous avons tort n'est pas une tâche simple. Aimer ses ennemis, accepter le pécheur tout en rejetant le péché sont des qualités qui ne s'apprennent qu'au prix d'efforts soutenus.

Il nous faut reconnaître que nous avons tendance à nous montrer emportés et impatients lorsque nous sommes perturbés émotionnellement. Les individus de nature impulsive, émotive, jalouse ou indisciplinée ont plus que d'autres besoin d'apprendre à être sereins face à l'adversité. Plus vous êtes stable, plus vous pouvez vous montrer aimant à l'égard de personnes instables. Il est peu probable que vous soyez capable de tendre l'autre joue si vous êtes vous-même d'un naturel hostile, amer et emporté. Vous serez incapable de traiter avec prévenance quelqu'un qui vous traite mal si vous n'apprenez pas au préalable à contrôler vos émotions. Je m'emploierai donc dans ce chapitre à expliquer les origines des perturbations émotionnelles et à suggérer les moyens de les vaincre.

Les quatre options

Je voudrais vous montrer en quoi un comportement névrotique est source de désordres, avant de vous décrire la manière dont nous créons nos problèmes émotionnels, les moyens dont nous disposons pour les résoudre et les obstacles qu'ils dressent entre nous et l'amour auquel nous voulons accéder. Il existe quatre manières d'affronter une situation stressante. Il en est trois que je vous recommande et une que je vous déconseille vivement : la névrotique.

Option 1 : la tolérance sans arrière-pensée

La première solution dont nous disposons consiste à accepter le comportement désagréable d'autrui sans lui adresser de reproche. Nous minimisons la gravité de la situation et nous essayons de nous convaincre qu'il n'y a pas de raison de provoquer un esclandre.

C'est une solution sage que nous adoptons souvent. Nous connaissons de multiples frustrations mineures chaque jour, elles font partie intégrante de la vie. A chaque fois que vous décidez de ne pas accorder une importance démesurée à une frustration, vous vous en libérez puisque vous vous pénétrez de la conviction que : « Cela n'en vaut pas la peine ». Cette attitude est une preuve de maturité et une source d'équilibre, pour autant que vous n'en abusiez pas. Vous passerez pour un individu patient et tolérant et l'on vous en appréciera d'autant.

Option 2 : la protestation

La tolérance a toutefois des limites. Il arrive un moment où l'accumulation des frustrations devient insupportable. Vous êtes fatigué de faire preuve de patience. Vous réagissez. Vous ne tendez pas l'autre joue, vous faites le contraire. Vous protestez, vous vous efforcez de mettre votre interlocuteur mal à l'aise, vous lui faites ainsi comprendre que « la coupe est pleine » et qu'il va lui falloir modifier son comportement parce que vous n'êtes plus décidé à vous laisser marcher sur les pieds. Vous déclenchez en quelque sorte une *guerre froide* jusqu'à ce que vous obteniez satisfaction.

Si cette démarche ne s'avère pas payante et si vous souffrez de la tension que vous avez créée en instaurant une guerre froide, il vous reste toujours la solution d'inverser la vapeur et de revenir à l'option 1. Vous choisirez d'adopter cette démarche avec les individus qui ne valent pas la peine que vous vous mettiez martel en tête, ou vous préférerez l'option 3.

Option 3 : la séparation ou le divorce

Vous n'êtes pratiquement jamais obligé d'accepter une situation qui ne vous donne plus satisfaction. Nous avons, fort heureusement, le choix lorsqu'il s'agit de conserver ou non un emploi, de préserver ou non une amitié, de poursuivre ou non une relation.

La séparation et le divorce sont des solutions désormais reconnues par la loi, et auxquelles tout un chacun est en droit de recourir. Un individu sain dispose-t-il d'un autre choix lorsqu'une relation devient insupportable, lorsqu'un conjoint refuse de reconnaître les droits de l'autre ? Non ! Il doit rompre et ce dès que possible.

Option 4 : la tolérance avec arrière-pensée

La méthode la plus couramment utilisée par quiconque se trouve confronté à un comportement déplaisant consiste tout simplement à exprimer son ressentiment ou à l'intérioriser ce qui entraîne en définitive des symptômes physiques. Nous posons les fondements des désordres fondamentaux en tous genres lorsque nous tolérons des situations ou des comportements qui nous perturbent profondément. Le jour vient où nous éprouvons des maux de tête, des douleurs abdominales, où nous nous plaignons de problèmes de colon, d'insomnies et de nervosité. Tous ces symptômes sont la porte ouverte à la dépression, à la colère, à un désintérêt pour la vie ou à une tendance excessive à la passivité. Nous commençons à boire trop, à manger trop ou au contraire pas assez. Nous sommes assaillis de fantasmes sexuels ou nous en arrivons à nous montrer infidèle à notre conjoint. Certains mordillent leurs ongles, d'autres ont des crises de larmes impromptues. Quoi qu'il en soit, plus nous tolérons des frustrations qui nous font souffrir, plus notre malaise s'accentuera. C'est une très mauvaise manière d'affronter un comportement inacceptable. C'est en fait la seule option à laquelle je vous recommande de ne *jamais* recourir.

Les trois premières options s'avéreront peut-être pénibles dans un premier temps, mais elles renferment l'espoir d'un soulagement éventuel. En tolérant une situation sans arrière-pensée, nous mettons fin à notre inconfort de manière quasi immédiate. En protestant et en mettant notre partenaire mal à l'aise nous vivons quelques temps difficiles mais cette attitude entraîne souvent un dénouement heureux. Une séparation ou un divorce est souvent l'occasion de prendre un nouveau départ dans la vie. L'option 4, quant à elle, n'apporte aucun soulagement. Devenir aigri et développer divers symptômes contribuent uniquement à rendre la situation encore plus intolérable.

Nous devons donc apprendre à ne pas développer ces désordres émotionnels, et ce pour deux raisons importantes. Reconnaissons tout d'abord qu'il est pénible d'être névrosé. Vous êtes votre pire ennemi lorsque vous êtes perturbé ; personne ne vous fait plus de mal que vous-même. Il est difficile ensuite quand on est perturbé d'être un individu mûr, de suivre la règle 2 et de réagir de manière tolérante et positive à un comportement inconsidéré et déplaisant. Il faut être maître de soi pour réussir à adopter la règle 2, donc pour « aimer nos ennemis », pour « tendre l'autre joue ». Un individu perturbé en est incapable.

La suite de ce chapitre sera consacrée à l'étude plus approfondie des options 1 et 4, à savoir de la tolérance sans arrière-pensée (1) et de la tolérance avec arrière-pensée (4). Nous apprendrons à éliminer la dernière attitude au profit de la première. Cette démarche revient à mettre en pratique le précepte chrétien consistant à « tendre l'autre joue » afin de se faire aimer.

Le chapitre suivant traitera quant à lui des deux autres options dont nous disposons face à des situations frustrantes, soit l'option 2 : la protestation, et l'option 3 : la séparation ou le divorce. Ce sont deux manières de respecter la règle 3 pour s'assurer coopération, respect et amour : si on vous traite mal, et que le second principe échoue, traitez votre interlocuteur aussi mal qu'il vous traite, sans pour autant vous mettre en colère.

Comment nous perturbons-nous ?

Si nous voulons réussir à tolérer les frustrations sans arrière-pensée, il nous faut savoir que c'est la manière dont nous abordons nos problèmes qui est à l'origine de nos désordres émotionnels. Ce sont nos propres pensées qui sont responsables de nos dépressions, de nos colères, de nos peurs ou de nos jalousies. Ce n'est pas la manière dont les autres nous traitent qui crée ces sentiments ; c'est la manière dont nous réagissons à leurs attitudes.

En d'autres termes : il existe douze idées irrationnelles qui sont à l'origine de la majorité des désordres émotionnels courants. La dépression est causée par deux ou trois de ces idées. La colère se manifeste lorsque nous nourrissons quelques autres idées irrationnelles. Il en va de même pour la peur, l'inquiétude, la jalousie, la passivité. S'il vous arrive d'être perturbé, essayez pour commencer de déterminer quelles sont les pensées que vous nourrissez à l'égard de vos problèmes ; faites ensuite le tri entre celles qui vous paraissent raisonnables et celles qui sont insensées. Efforcez-vous enfin de chasser les idées insensées et irrationnelles. En agissant ainsi vous apprendrez de nouveaux comportements, vous aurez le sentiment d'être un être différent, vous ne serez plus perturbé.

Les douze idées irrationnelles

Douze convictions irrationnelles nous empêchent d'accepter la frustration sans arrière-pensée. Efforcez-vous de les mémoriser, ainsi lorsque vous serez perturbé, vous n'aurez aucune difficulté à déterminer si c'est en raison de l'une de ces mauvaises raisons.

Idée irrationnelle 1 : Il est absolument nécessaire que nous, adultes, soyons aimés et appréciés par les individus qui occupent une place importante dans notre vie, notre valeur personnelle en dépend.

Idée irrationnelle 2 : Un individu qui n'est pas performant, qui ne se dégage pas de la masse n'a pas une grande valeur.

Idée irrationnelle 3 : Un individu qui est méchant, déplaisant ou désagréable doit être sévèrement blâmé et puni.

Idée irrationnelle 4 : Il est abominable et insupportable que les « choses » ne se déroulent pas ainsi que nous le souhaitons.

Idée irrationnelle 5 : Le malheur des hommes est causé par des circonstances extérieures ; nous n'avons donc de contrôle ni sur nos peines ni sur nos perturbations.

Idée irrationnelle 6 : Nous devons être terriblement inquiets lorsque nous nous trouvons confrontés à une situation dangereuse ou effrayante — ou à son éventualité, que nous devons redouter.

Idée irrationnelle 7 : Il est plus facile d'éviter certaines difficultés et certaines responsabilités que de les affronter.

Idée irrationnelle 8 : Il est raisonnable et sain de

s'appuyer sur — et de dépendre — des individus qui sont plus forts que nous.

Idée irrationnelle 9 : Nos antécédents conditionnent notre comportement actuel ; un événement qui a affecté notre vie par le passé nous influencera à tout jamais.

Idée irrationnelle 10 : Il est logique que les problèmes et les perturbations des autres nous affectent.

Idée irrationnelle 11 : Il existe toujours une solution juste, précise et parfaite aux problèmes humains et il est plus sage de ne rien faire tant qu'on ne l'a pas trouvée.

Idée irrationnelle 12 : Les idées acceptées par la société et par des autorités éminentes sont forcément correctes et sont donc incontestables.

Ces douze conceptions erronées sont à l'origine de pratiquement tous les problèmes émotionnels. Ce sont des remarques que nous faisons à chaque fois que nous nous trouvons confrontés à une situation quelconque. C'est l'idée ou l'ensemble d'idées irrationnelle(s) que nous adoptons qui se trouvent à l'origine de nos diverses émotions, au même titre que les diverses épices utilisées par un chef-coq déterminent la saveur finale d'un plat. Je prétends quant à moi que ces idées sont fausses, illogiques, irrationnelles, stupides et déprimantes. Chassez-les, si vous désirez retrouver ou conserver un équilibre et une stabilité affectifs. Ainsi que je l'ai dit, ces idées sont à l'origine de la dépression, de la colère et de la peur.

La dépression

La dépression psychologique est la conséquence de trois comportements spécifiques : la culpabilité, l'auto-indulgence et l'abnégation.

Si vous ne cessez de vous critiquer, si vous vous détestez, si vous pensez que vous êtes l'être le plus méprisable qui soit, non seulement vous rejetez votre comportement, mais encore vous vous rejetez vous-même. C'est ce que j'entends par le sentiment de culpabilité. La culpabilité est une double agression : la première dirigée contre vos actions, la seconde contre vous. Il semble que nous éprouvions des difficultés à différencier entre nous et notre comportement. C'est la raison pour laquelle nous nous sentons souvent inférieurs, coupables et déprimés à chaque fois que nous sommes en désaccord avec l'une de nos actions.

Il importe d'adopter deux attitudes pour vaincre la culpabilité et l'infériorité. La première consiste à établir une distinction entre nous et notre comportement ; la seconde à nous pardonner nos mauvaises actions.

Comment séparer vos actions de vous-même ? De la même manière que nous établissons une distinction entre les autres et leur comportement. Nous adoptons même cette attitude envers les animaux, pourquoi pas envers nous-mêmes ? Si votre chat casse un vase, vous n'approuverez pas son comportement, mais vous ne détesterez pas le maladroit pour autant. Si un enfant en bas âge promène ses doigts poisseux sur votre chemisier, vous déplorerez les taches mais vous ne condamnerez pas le bambin.

La seconde attitude à adopter consiste à apprendre à vous pardonner. Votre comportement négatif a trois causes qui sont trois bonnes raisons de ne pas vous sentir coupables : la stupidité, l'ignorance et les perturbations. Ainsi, vous n'avez peut-être pas la vigueur ni la coordination de mouvements nécessaires pour devenir un boxeur ou un joueur de tennis. Peut-être également que personne ne vous a jamais enseigné ces techniques. Peut-être enfin êtes-vous trop perturbé pour obtenir une bonne performance.

Vous constaterez — si vous réussissez à maîtriser vos sentiments de culpabilité — qu'il vous sera beaucoup plus facile de tolérer le comportement des autres sans arrière-pensée. Vous vous demanderez quel est le problème de votre partenaire et pour quelle raison il s'est comporté ainsi qu'il l'a fait. Est-ce en raison de sa stupidité, de son ignorance, ou était-il perturbé ? Comment est-il possible d'être désagréable envers les autres si vous leur pardonnez leurs erreurs ?

Vous libérer de votre sentiment de culpabilité aura un autre effet bénéfique pour vous : vous vous respecterez. C'est une qualité vitale que nous recherchons souvent chez les autres et qui nous fait les aimer souvent intensément. Des individus qui ne se respectent pas perdent en général le respect des autres. Si vous refusez de vous détester, si vous renoncez à vous considérer comme étant un individu mesquin et méprisable, vous ne connaîtrez jamais les affres des sentiments de culpabilité et d'infériorité. Vous garderez au contraire la tête bien droite. Vous ne serez pas toujours très fier de vos actions, mais vous serez toujours fier de vous. Nous admirons souvent les individus qui affichent une telle assurance. Ils peuvent se permettre de tendre l'autre joue sans arrière-pensée.

L'auto-indulgence

Cette pratique est beaucoup plus courante que nous ne voulons l'admettre. Soyons francs : nous nous y adonnons tous. Et nous avons de bonnes raisons d'agir ainsi. Le monde est rarement le paradis hospitalier dont nous rêvons. Il est parfois cruel, souvent dur, et la plupart du temps absolument injuste. Des criminels échappent tous les jours à la justice alors que des êtres affamés et désespérés sont envoyés en prison pour avoir volé juste de quoi ne pas mourir de faim.

Lorsque vous vous apitoierez sur votre sort, prenez le temps d'apprécier votre situation : vous constaterez que vous n'avez réussi qu'à l'aggraver. L'auto-indulgence est inutile. Elle vous affaiblit. Elle vous vide des énergies nécessaires pour affronter les injustices de la vie. En outre, votre entourage a tendance à se détourner de vous.

Les personnes avec qui nous vivons se lassent très vite de nos lamentations. Personne n'aime les larmes. Il est préférable de s'employer activement à réparer les injustices dont nous nous jugeons victimes ou de nous résigner à accepter la situation telle qu'elle est si nous sommes incapables de l'influencer. Ne croyez pas qu'en vous lamentant sur votre sort vous ferez naître des sentiments d'amour. Dressez-vous face à l'adversité, secouez votre déprime, vous gagnerez le respect de vos proches et donc leur amour. Vaincre l'auto-indulgence nous place dans une excellente position pour affronter nos frustrations donc pour les tolérer sans arrière-pensée et mettre ce faisant l'option 1 en pratique.

L'abnégation

L'idée irrationnelle qui se trouve à l'origine de l'abnégation est la dixième : il est logique que les problèmes et les perturbations des autres nous affectent.

Pourquoi est-ce logique ? Qu'apportons aux autres en nous laissant affecter par leurs problèmes ? En quoi cela les aide-t-il ? Cela leur confère-t-il le courage de faire face à leurs problèmes ? Cela raffermit-il leur sentiment de confiance en soi ?

Il est logique que nous nous sentions concernés par les problèmes de nos proches et que nous désirions leur venir en aide. Leur tendre une main secourable est une attitude charitable. Mais joindre nos larmes aux leurs n'est d'aucune utilité. Ayons donc une démarche plus concrète et plus positive.

La colère

La colère est un autre problème émotionnel qui nous affecte tous. La colère surgit essentiellement parce que nous nous tenons le même propos que l'être auto-indulgent : Il est abominable et insupportable que les « choses » ne se déroulent pas ainsi que nous le souhaitons. Mais une autre idée irrationnelle vient s'ajouter à celle-là : Un individu qui me frustre est méchant, déplaisant et désagréable et doit être sévèrement blâmé et puni. La combinaison de ces deux idées engendrent l'amertume, le ressentiment, l'agressivité et, bien entendu, la colère.

Nous sommes toujours responsables de nos colères, jamais les autres, comme nous sommes toujours responsables de nos dépressions. La personne en colère s'imagine malheureusement qu'étant un individu décent et juste il *aimerait,* il *préférerait,* il *souhaiterait,* il *désirerait* que les « choses » se déroulent comme il l'entend mais encore que ses désirs sont en fait des *besoins,* des *nécessités,* des *droits.* Lorsque vos désirs deviennent des exigences et que celles-ci ne sont pas satisfaites, vous êtes condamnés à souffrir les conséquences de la colère. Si vos désirs étaient demeurés des désirs, vous auriez connus des frustrations, des déceptions mais vous n'auriez certes pas cédé à la colère. Personne ne devient furieux pour la seule raison qu'il n'obtient pas ce qu'il désire. Songez au nombre de désirs que vous caressez et qui ne seront jamais satisfaits. Vous mettez-vous en colère parce que vous ne trouvez pas une fortune « sous le sabot d'un cheval » ? Vous mettez-vous en colère parce que vous n'êtes pas une vedette de cinéma ? Vous mettez-vous en colère parce que vous ne voyagerez probablement jamais dans l'espace ? De tels désirs, il en existe des milliers et nous savons qu'ils ne seront jamais réalisés. Nous ne nous mettons pas en colère pour autant. En revanche, dès que nous partons du principe qu'un désir doit être satisfait parce que nous le méritons, nous transformons un *désir sain* en une *exigence névrotique* et nous ressentons une émotion névrotique.

Pour éviter de céder à nouveau à la colère, efforcez-vous de ne plus formuler d'exigence quelconque.

110

La colère est toujours une réaction névrotique. Il existe toutefois deux exceptions à cette règle.

1. Un accès de colère soudain qui effraye quelqu'un est parfois le seul moyen d'éviter un danger et donc un accident. Ainsi, en criant sur un enfant qui s'apprête à traverser une rue imprudemment, vous arrêtez son mouvement et vous lui évitez peut-être de se faire écraser par une automobile.

2. La colère vous tirera parfois d'un mauvais pas. Ainsi, il n'est inutile d'exprimer sa fureur lorsque des voyous essaient de vous voler. Peu importe que votre comportement soit qualifié de névrotique s'il vous a permis de sauver votre vie.

Réagissons calmement et avec maturité à un comportement déplaisant. Reconnaissons que :

a) nous n'avons nullement le droit de régir le monde ;

b) un individu qui nous frustre n'est pas forcément un être mauvais ;

c) nous ne rendons pas un individu meilleur en l'agressant, en l'insultant, en le maudissant. Quelle serait votre réaction à l'égard de quelqu'un qui vous agresse : 1° la peur, 2° la colère.

La peur. Je regroupe sous le vocable « peur » des sentiments tels que l'inquiétude, l'angoisse, la nervosité et la panique. Il existe des formes et des degrés différents de peur ; de la moins intense — l'inquiétude — à la plus intense — la panique. La peur et l'inquiétude sont créées par deux idées irrationnelles : *a)* il est abominable et insupportable que les « choses » ne se déroulent pas ainsi que nous le souhaitons, et *b)* nous devons être terriblement inquiets lorsque nous nous trouvons confrontés à une situation dangereuse ou effrayante — ou à son éventualité, que nous devons redouter.

Un individu sujet à la peur voit des dangers et des menaces dans n'importe quelle situation, même dans les plus inoffensives. Il fait une montagne d'une souris. Quelqu'un vous rejette et vous avez le sentiment que le monde s'effondre. Vous ne recevez pas la promotion que vous escomptiez, vous êtes horrifié. Un automobiliste vous « vole » une place de stationnement, vous considérez cela comme une catastrophe.

Il est impossible d'avoir une réaction sereine et constructive à l'égard d'une situation que vous décrivez de manière aussi extrême. Prenez donc le temps de considérer avec calme la situation à laquelle vous vous trouvez confronté. Demandez-vous si elle est vraiment aussi tragique que vous l'imaginez. Vous concluerez le plus souvent que vous avez cédé à une tendance à l'exagération. C'est une attitude très commune qui est responsable de bien des désordres émotionnels.

Mes propos vous paraîtront peut-être fantasques, ils n'en sont pas moins très sérieux. Voulez-vous savoir que faire pour ne plus être perturbé pendant le reste de vos jours ? Alors suivez ce conseil : ne faites plus jamais une montagne d'une souris et vous ne serez plus jamais perturbé. Je sais que cela paraît incroyable mais réfléchissez, vous verrez que j'ai raison. Ainsi, si vous considériez un rejet comme une expérience regrettable plutôt que comme un drame, cela ne ferait-il pas une différence ? En d'autres termes, si vous décriviez votre situation de manière moins alarmante, si vous la jugiez regrettable, décevante, triste, ennuyeuse, vous éprouveriez un sentiment de frustration *normal.* Au lieu de cela vous dramatisez et vous connaissez la peur, l'angoisse, la nervosité, l'inquiétude.

Imaginez combien il est difficile de conserver son calme et de se résigner face à l'adversité (règle 2) si vous partez du principe qu'un simple désagrément représente en réalité la fin du monde. Comment tolérer une situation insatisfaisante alors que la moindre contrariété prend des allures de calamité ? Il est impossible d'être un individu équilibré et mûr et d'entretenir une relation agréable si votre perception du monde manque ainsi du sens des proportions. C'est la raison pour laquelle contrôler vos peurs est l'une des leçons les plus importantes qu'il vous faudra apprendre.

La passivité excessive est malheureusement une forme de peur qui détruit le bonheur de personnes très sensibles. Les individus qui détestent s'affirmer comptent au nombre des gens les plus malheureux qu'il m'ait été donné de rencontrer. Il est regrettable qu'il n'existe pas plus de personnes sensibles. Il importe toutefois qu'elles apprennent à être moins lâches lorsque s'impose à eux la nécessité de s'affirmer. J'ai constaté qu'il existait cinq raisons qui nous poussent à agir avec lâcheté. Deux d'entre elles sont liées à l'environnement, trois sont psychologiques.

1. Nous avons peur d'être blessés physiquement. Cette réaction est parfaitement normale lorsque nous nous trouvons confrontés à un animal sauvage, par exemple. Si vous savez que vous n'avez aucune chance de sortir vivant d'une confrontation, prenez vos jambes à votre cou. Aucun être sain d'esprit ne désirera affronter un adversaire qui lui est physiquement supérieur.

2. Nous avons peur de perdre nos ressources financières. Le patron a toujours raison. C'est lui qui commande et c'est lui qui signe nos fiches de salaire. Si vous n'êtes pas d'accord avec ses ordres, donnez votre démission. Si vous appréciez votre travail, ne lui tenez pas tête avec trop de violence, vous risqueriez de vous retrouver au chômage.

3. Nous manquons de confiance en nous. Nous sommes dévorés par une question angoissante : « Et si j'avais commis une erreur ? Ce serait horrible. » Supposez que vous décidiez d'acheter une maison mais que votre partenaire s'oppose à votre décision. Vous ignorez qui de vous deux fait le bon choix, et comme vous avez peur d'avoir tort, vous vous rangez à l'avis de votre conjoint. Quel mal y a-t-il à avoir tort ? Le dicton n'affirme-t-il pas : l'erreur est humaine ? Le seul moyen d'apprendre à prendre des décisions sages consiste à... prendre des décisions. Encore faut-il savoir tirer la leçon de ses erreurs. Vous ne connaîtrez jamais la satisfaction d'aucun désir si vous vous rangez toujours à l'avis de votre partenaire.

4. Nous avons peur de heurter les sentiments d'autrui. Si nous ne donnons pas aux autres ce qu'ils attendent de nous, nous provoquons leur colère, leur rancune, leur tristesse. Il importe que vous compreniez que ce n'est pas vous qui avez blessé cette personne. Nous ne pouvons provoquer que des blessures physiques aux autres, jamais morales. Si quelqu'un veut se déprimer, s'énerver ou se mettre en colère, c'est *son* problème, pas le *vôtre*. C'est lui qui transforme une frustration en un désordre émotionnel.

5. Nous avons peur d'être rejetés. Nous nous imaginons qu'un rejet est une situation douloureuse,

que ne pas être aimé ou apprécié par les autres est une expérience horrible. Il est certain qu'être rejeté rend malheureux, mais pas plus que vous ne l'acceptez. Nous avons tous été rejetés par quelqu'un en l'une ou l'autre occasion de notre vie. Nous en avons souffert puis le temps passant nous n'y avons plus accordé d'importance. Comment en sommes-nous arrivés là ? En nous convainquant que nous n'avions pas un besoin impérieux de l'amour et de l'estime de cette personne. Imaginez les tourments que vous vous seriez épargné en ayant immédiatement cette réaction.

Si une relation amoureuse se détériore pendant un certain laps de temps, cela n'a rien de catastrophique. C'est regrettable, ce n'est pas tragique. Faites ce qui est en votre pouvoir pour améliorer la situation mais si vous n'obtenez pas les résultats escomptés, ne vous désespérez pas. Votre partenaire n'est pas la seule personne aimable. Les gens qui ne nous aiment pas, sont beaucoup moins importants que ceux qui nous détestent. Vous ne savez jamais ce dont ces derniers sont capables.

Si vous désirez devenir un être mûr et aimant en dépit du comportement négatif des autres, vous devez retrouver votre équilibre. Il faut être maître de soi pour être capable de rendre le bien pour le mal.

Discutez avec vous-même

Il est nécessaire que vous fassiez de sérieux efforts si vous désirez modifier votre comportement. Commencez par remettre en question l'ensemble de votre système de croyances et ce jusqu'à ce que vous en arriviez à vous dire que les leçons qu'on vous a enseignées pendant votre vie étaient probablement incorrectes et qu'il existe des idées plus saines que celles que vous tenez pour établies. Il importe pour ce faire que vous preniez le temps de débattre avec vous-même. Comment savoir, me direz-vous, si vos nouvelles idées sont plus valables que les anciennes ? Il est un moyen très simple de répondre à cette question : si vous éprouvez un certain soulagement, si vos émotions pénibles disparaissent et si vous vous sentez moins perturbé, persévérez vous êtes dans la bonne voie.

Le plus grand tort des individus qui essaient de surmonter leurs désordres émotionnels est de ne pas suffisamment *se* parler. Ils continuent à nourrir des convictions névrotiques telles que : je dois être parfait, il est terrible de ne pas être aimé, les individus qui agissent mal sont des méchants, il est plus facile d'éviter d'affronter des tâches difficiles que de les assumer, etc. Vous ne changerez pas si vous ne balayez pas ces idées. Discutez avec vous-même, argumentez, débattez jusqu'à ce que vous soyez convaincu que vous n'avez pas à être parfait pour être acceptable, que vous n'avez pas à être aimé pour être acceptable. Nous avons le droit de commettre des erreurs, parce que nous ne sommes pas notre comportement. Enfin, il est plus simple d'assumer des tâches difficiles que de les fuir.

Etudiez soigneusement la liste des idées irrationnelles. Il importe que vous vous persuadiez qu'elles sont stupides et dangereuses. Une fois que vous aurez réussi dans votre entreprise, vous découvrirez que vous possédez désormais un meilleur contrôle émotionnel de vous-même. Vous serez alors en mesure de mettre en pratique la règle 2 : si on vous traite mal, continuez à faire preuve de prévenance, tendez l'autre joue, souriez, dispensez de l'amour... *pendant un laps de temps raisonnable.*

Qui tire profit de la règle 2 ?

Il y a une certaine beauté et une certaine majesté à rendre le bien pour le mal. C'est un principe noble et généreux que l'on rencontre dans la majorité des grandes religions. On nous a enseigné qu'une personne à qui nous dispensons notre amour et envers qui nous faisons preuve de patience finira par modifier son comportement de manière positive et par nous rendre notre amour.

Cet enseignement nous a été imposé avec une telle force que nous nous demandons rarement jusqu'à quel point nous devons nous montrer tolérant. D'aucuns s'imaginent que lorsqu'ils pardonnent ils ne sont pas en droit de sanctionner la personne qui leur a fait du tort. Si nous aimons vraiment une personne nous voulons l'aider à s'améliorer ; il n'est donc pas possible de lui pardonner sans la pénaliser simultanément. Pardonnez un comportement fautif, ne signifie pas l'accepter. Cela signifie que nous ne détestons pas son auteur, que nous ne jugeons l'individu par rapport à l'acte. Bref, je puis pardonner à mon fils d'avoir accidenté ma voiture et lui interdire de s'en servir à l'avenir — cette restriction n'implique pas que je ne l'aime pas ou que je lui tienne rigueur de son acte. En l'obligeant à payer les frais de réparation et en ne l'autorisant pas à reprendre le volant tant qu'il n'aura pas prouvé qu'il était un être responsable et raisonnable, je démontre que mon pardon n'exclut pas une certaine fermeté. Puisque je l'aime, je veux l'aider à améliorer son comportement.

Qui tire profit de la règle 2? La réponse est évidente. Un être mûr, équilibré, stable, non perturbé sur le plan émotionnel. Un individu perturbé et immature ne tirera aucun profit de la générosité exprimée par la mise en pratique de la règle 2.

Un individu mûr à qui on fait remarquer que son comportement était injuste reconnaîtra son tort, présentera ses excuses et s'efforcera de réparer le tort qu'il a fait. Vous perdrez toutefois votre temps avec un être immature. La conclusion qui s'impose lorsque vos efforts ne produisent aucun résultat ou ne contribuent qu'à aggraver la situation est que vous avez affaire à un être perturbé sur le plan émotionnel.

Vous pouvez considérez que le cas est désespéré lorsque votre partenaire ou votre enfant

a) ne modifie pas son comportement après plusieurs tentatives de votre part ;

b) ne semble pas être conscient de la nécessité de modifier son comportement ;

c) vous avertit qu'il n'a nullement l'intention de modifier son comportement.

N'est-ce pas assez clair ? Que voulez-vous savoir de plus ? Si vous n'avez pas encore suffisamment de preuves de l'inutilité de vos efforts c'est que votre cas est encore plus complexe que celui de votre interlocuteur. Si votre gentillesse ne produit aucun résultat, rendez-vous à l'évidence : il ne sert à rien d'insister. Envisagez désormais d'appliquer la règle 3.

LA DERNIÈRE CHANCE

Que faire lorsque la situation devient telle que vous ne tolérez plus le comportement inconsidéré de votre famille, de vos amis ou de vos employeurs ? Je crois que nous serons tous d'accord pour reconnaître que la patience et la tolérance ont des limites. Seuls les saints et les martyrs supportent indéfiniment les injustices et les manipulations.

Que faire alors ? Ce que nous avons toujours fait depuis l'origine des temps : nous nous rebellons et nous rendons coup pour coup. Bref, nous nous rallions à la règle 3 : si on vous traite mal et que le second principe échoue, traitez votre interlocuteur aussi mal qu'il vous traite, sans pour autant vous mettre en colère.

Justification de la règle 3

Si on vous a appris à être quelqu'un de paisible et d'aimable, vous n'apprécierez certes pas ce dernier conseil. Il y a quelque chose de déplaisant dans le fait de rendre le mal pour le mal. Je partage entièrement votre avis, cette idée choque notre sensibilité. Mais que faire quand on a tout essayé ? Vous avez été patient, vous avez tendu l'autre joue, vous avez essayé de raisonner avec votre interlocuteur, rien n'y a fait. Il faut être stupide pour s'entêter à appliquer une stratégie qui s'est systématiquement révélée inefficace. Il ne vous reste plus qu'à mettre votre interlocuteur mal à l'aise jusqu'à ce qu'il modifie son comportement.

Souvenez-vous des quatre options dont nous disposons face à la frustration. L'option 2, la protestation, précise que si vous n'êtes plus capable de tolérer une situation sans éprouver de ressentiment, vous devez protester, déclencher une guerre froide. Si cela ne donne toujours pas de résultat vous avez la possibilité de revenir à l'option 1, la tolérance sans arrière-pensée. Si ce retour en arrière ne vous convient pas, il vous reste à adopter l'option 3 ; la séparation ou le divorce. La règle 3 prévoit de rendre le mal pour le mal, elle s'applique aux options deux et trois. Le temps des sourires est passé, celui des « coups » est venu. Lorsque les gens vous marchent sur les pieds et refusent de s'arrêter, il ne vous reste d'autre solution que de leur marcher à votre tour sur les pieds. Il s'ensuit une accumulation jusqu'à ce que l'un des partenaires finisse par capituler afin de préserver la relation.

Je suis conscient de la résistance qu'éprouvent certaines personnes à adopter cette règle 3, il me paraît donc utile de la justifier de manière claire et nette. Je vous rappellerai donc que même les grands maîtres religieux l'ont mise en application. Avez-vous oublié la manière dont Jésus a chassé les marchands du temple ? Gandhi, tout pacifiste qu'il fut, n'a pas permis aux Britanniques d'asservir son pays. Il se montra tellement réticent à toute coopération que l'Inde acquit en définitive son indépendance. Et Martin Luther King n'a-t-il pas agi de même pour la reconnaissance des droits des Noirs aux Etats-Unis ? Je vous incite à tirer la leçon de ces diverses démarches.

Si ma référence aux maîtres religieux et aux leaders politiques ne vous a pas convaincu permettez-moi de vous entraîner dans les laboratoires des psychologues. Souvenez-vous de la manière d'influencer un comportement. Si vous récompensez ou renforcez une attitude, vous la consolidez. Le comportement d'une personne, d'une famille, d'un groupe, d'une entreprise sera donc influencé par les récompenses ou les sanctions que leur aura attribué un comportement précédent. Un acte, qui n'est pas récompensé, tend à s'affaiblir. La théorie de l'apprentissage nous révèle comment un comportement humain peut se réduire ou s'arrêter — c'est le concept d'extinction.

Toutes ces réflexions nous conduisent à une conclusion : Si un comportement se perpétue c'est parce qu'il est récompensé. Si nous voulons produire un changement et que nous n'obtenions pas de résultat c'est que le comportement *continue à être récompensé.* Ce n'est pas forcément nous qui dispensons les récompenses. Il est parfois difficile de déterminer qui est à l'origine du renforcement et comment. Un point est toutefois certain : un comportement ne se perpétue que s'il est renforcé.

Il est temps que nous comprenions que *nous* sommes responsables de tout le bien et de tout le mal produit par les êtres humains. Nous ne sommes pas responsables des tremblements de terre, des tempêtes ou des inondations ; quant aux arbres, aux rochers et aux nuages, ils ne sont pas responsables du comportement des hommes. Assumons donc nos responsabilités.

Nous — vous et moi — sommes plus ou moins responsables de la pauvreté, des guerres, des meurtres, des sévices à enfants et des milliers de victimes des accidents de la route. De quelle manière ? Parce que le comportement humain est en grande partie conditionné par les êtres humains.

La logique préconise donc clairement de ne pas continuer à renforcer un comportement qui nous déplaît. Ceci implique que si nous désirons qu'autrui modifie son comportement, *nous devons commencer par modifier le nôtre.* Un examen plus détaillé de la situation nous révèle que *nous* sommes à l'origine de la majorité de nos maux de tête. Nous sommes responsables à 49 % des actions d'autrui que nous désapprouvons parce que nous les tolérons trop facilement. Les 51 % restant incombent à autrui.

Les excuses à la passivité

Il est plus difficile de passer à la règle 3, après avoir consciencieusement appliqué la 2, qu'on ne l'imagine bien souvent. Personne ne se réjouit à l'idée d'une confrontation qui risque d'être tendue et animée. Nombre d'individus préfèrent éviter un conflit par crainte de déclencher une scène violente et de briser une relation. Ils avanceront pour justifier leur comportement un certain nombre d'excuses fallacieuses.

La première et la plus courante est la peur des cris et de la violence. Personne n'aime changer, surtout après « en avoir fait à sa tête » pendant longtemps. Une personne que l'on remet en question risque d'élever le ton et de perdre le contrôle de soi. Des hommes et des femmes qui ne sont pas d'une nature violente perdent le sens de la mesure et tiennent des propos blessants : « leurs mots dépassent leur pensée ».

Je vous concède qu'en « remettant les choses à leur place », on s'attire parfois « les foudres de l'enfer ». Souvenez-vous toutefois qu'il est plus facile d'affronter des difficultés que de les fuir.

Le risque de conséquences déplaisantes existe. Sachez qu'il ne vous reste pas d'autre choix une fois qu'une situation vous devient intolérable. Répondez à un comportement négatif par un comportement négatif, et apprenez à votre partenaire qu'il ne vous maltraitera pas impunément. Ceci débouche le plus souvent sur une simple dispute. Or qu'est-ce qu'une dispute si ce n'est un échange de mots déplaisants. Les mots ne blessent pas, aussi violents soient-ils. Ce ne sont que des sons, que des vibrations. Que l'on vous traite d' « imbécile », que l'on vous crie : « Je te déteste », les mots ne sont jamais que des vibrations inoffensives. Si ces sons ne vous plaisent pas, ignorez-les. S'il apparaît que votre partenaire a raison, reconnaissez-le. Dites-lui qu'il a parfaitement raison et que vous allez tenir compte de ses critiques parce que vous ne voulez pas lui être désagréable.

Vous me direz que ce ne sont pas les sons en eux-mêmes qui vous blessent mais leur signification. Vous craignez d'être rejeté, de n'être plus aimé. Croyez-vous vraiment que chaque dispute débouche sur un divorce ? Admettez qu'il est rare qu'un couple se défasse après une seule discussion — fût-elle violente.

C'est en règle générale l'accumulation qui mène au divorce. Vous désirez mettre un terme à ces conflits ? La solution est simple : cessez de les tolérer.

Une autre excuse à la passivité est la peur de heurter les sentiments d'autrui. Un refus de coopération risque de blesser notre partenaire.

Nous avons vu précédemment qu'il était impossible de blesser autrui sur le plan émotionnel. Si votre partenaire désire se perturber sous prétexte que vous désirez vous affirmer, c'est *son* problème. Cela ne semble pas le contrarier d'avoir un comportement qui vous déplaît ; pourquoi cela vous contrarierait-il de lui déplaire à votre tour ? Même si votre partenaire sombre dans la dépression, je prétends que vous n'en êtes pas responsable. Lui seul est responsable. Vous constaterez par ailleurs que dès que vous commencerez à vous affirmer, il adoptera une série de stratégies qui viseront à vous rendre la vie pénible. Son intention ? Elle est évidente. Vous décourager.

Ne vous laissez pas impressionner. Attendez-vous au pire. Fiez-vous aux expériences de milliers d'individus qui ont eu l'occasion de vérifier — à leur plus grande surprise — que leur interlocuteur finissait toujours par céder en constatant que ses menaces ne produisaient pas les résultats escomptés.

Il vous suffit en fait de contrer ses premiers assauts pour lui faire comprendre que vous êtes bien décidé à ne plus tolérer ses caprices.

Il est évident qu'il vous sera impossible d'agir ainsi si vous avez peur de heurter les sentiments d'autrui. Commencez donc par vous imprégner de cette notion que vous ne pouvez blesser votre partenaire — et quiconque d'ailleurs — que physiquement, jamais émotionnellement. Vous n'êtes pas responsable des sentiments des autres. Et, croyez-moi, si vous ne réagissez pas, votre vie deviendra de plus en plus intolérable. Vous serez beaucoup plus malheureux, et vous n'obtiendrez jamais la coopération, le respect et l'amour de votre partenaire.

Les mots et les actes

Vous êtes en droit de vous demander pourquoi vos efforts demeurent vains, lorsque vous avez le sentiment que votre patience touche à sa fin. Peut-être considérez-vous que les nombreuses discussions que vous avez suscitées, et les multiples plaintes que vous avez émises constituaient des efforts louables de votre part. Ce que vous ne réalisez pas c'est que les discussions sont une façon de rendre le bien pour le mal. Vous imaginez mettre en pratique la règle 3 lorsque vous élevez la voix, en réalité vous appliquez toujours la règle 2. Les mots correspondent à la règle 2, les actions à la 3. Il est temps que vous cessiez de palabrer pour passer aux actes. Il existe une différence considérable entre un mot et une action, même si une dispute libère plus de tension qu'un comportement frustrant.

Si les mots et les raisonnements se révèlent inefficaces, suivez mon conseil : taisez-vous et agissez. J'ai constaté que les gens écoutent mieux avec leurs *yeux* qu'avec leurs *oreilles*. J'ai souvent vérifié qu'un acte unique mais spectaculaire était très impressionnant.

Mes clients réagissent de quatre manières différentes pour faire passer leur message de manière claire et nette lorsqu'ils sont fatigués de se plaindre en vain.

1. Ils s'adressent à un avocat.

2. Ils consultent un conseiller conjugal.
3. Ils quittent le domicile conjugal.
4. Ils développent une relation extraconjugale.
Ces actions se passent de mots. Elles sont suffisamment éloquentes en soi.

Il semble que nombre de personnes éprouvent bien des difficultés à passer des mots aux actes. Même lorsqu'ils se sont décidés à agir, ils se sentent dans l'obligation de revenir au niveau verbal pour justifier leur attitude. Ils éprouvent le sentiment de devoir *se justifier, de s'excuser.* C'est un tort : une action vaut mille mots. Elle exprime l'essence même du message : change ou la situation deviendra encore plus frustrante pour toi.

Ne faites pas marche arrière une fois que vous vous êtes engagés dans la voie des protestations. N'oubliez pas que vous avez déclenché une guerre froide. Si une tension s'installe entre vous, sachez que votre message commence à parvenir à votre partenaire. Persévérez donc jusqu'à ce que vous obteniez les résultats escomptés.

Votre seul souci est de *provoquer une modification de son comportement.* Si votre partenaire a un problème quelconque, c'est à lui de le résoudre. Une femme qui a des problèmes sexuels sera bien avisée de rechercher une aide appropriée à son cas (gynécologue, psychologue, etc.). Un homme qui boit devra acquérir la volonté de caractère de renoncer à l'alcool ou s'adresser à un organisme tel que les Alcooliques Anonymes. Peu importe la manière dont il s'y prend, ce qui compte pour vous *c'est le résultat.*

L'abnégation est le plus grand obstacle auquel nous nous heurtons lorsque nous décidons de faire preuve de fermeté envers notre conjoint. Votre résolution faiblit dès que vous vous apitoyez sur son sort. Les larmes, la dépression sont autant d'armes qu'utilisent les individus désireux de s'attirer notre sympathie. Souvenez-vous que vous n'êtes pas responsable de ces sentiments, que vous n'avez pas à vous sentir coupable. Si votre partenaire veut s'apitoyer sur son sort, c'est son problème, à lui de le résoudre. Il ne sert à rien de dire : « Bon, je cède pour cette fois, mais la prochaine fois je serai intransigeant »... sauf si vous vous montrez vraiment intransigeant « la prochaine fois ». Seules vos actions feront passer votre message, pas les mots.

Veillez toutefois à ce que vos actions ne vous fassent pas plus de tort qu'à la personne que vous désirez sanctionner. Vous désirez punir votre partenaire en raison des frustrations qu'il vous impose, ne vous en imposez pas de nouvelles. Tenir bon sera une épreuve suffisamment pénible sans que vous ne l'aggraviez encore de votre chef.

« Abaissez-vous » au niveau de l'autre

Si vous êtes comme moi, appliquer la règle 3 va à l'encontre de votre nature. Vous n'aimez pas ne tenir aucun compte des sentiments d'autrui. Il vous faudra pourtant vous *abaisser* au niveau de votre interlocuteur. Ce n'est pas une tâche simple pour des êtres mûrs. Souvenez-vous que vous avez affaire à quelqu'un d'immature et de perturbé. Votre partenaire ne vous comprend pas tant que vous ferez montre de prévenance à son égard. Vous serez donc contraint pour vous faire entendre d'adopter son langage.

Il sera probablement choqué par votre changement

d'attitude et comprendra peut-être que « la coupe est pleine » et qu'il doit réviser son comportement. Cette agressivité n'est pas dans votre caractère, vous devrez donc composer avec vous-même. Le seul moyen d'y parvenir consiste à ne pas vous apitoyer sur votre sort, à ne pas vous apitoyer sur le sort de votre partenaire et à ne pas considérer que votre situation est catastrophique.

Accepter la règle 3 n'implique pas que vous deviez vous montrer grossier ou colérique — vous feriez preuve d'immaturité. Refusez simplement votre coopération à votre partenaire, tant pour votre bien que pour le sien. J'insiste sur ce point : vous affirmer ne signifie *jamais* vous mettre en colère. En fait, la colère irait à l'encontre de vos intérêts. Je précise ma pensée. Si vous voulez vous affirmer de manière positive, refusez votre coopération à votre partenaire sans vous départir de votre sourire. Continuez à faire preuve d'amabilité mais prenez un air détaché. Faites-lui comprendre que vous ne vous souciez plus qu'il vous aime ou non.

Un excellent refus de coopération consiste à priver votre partenaire de relations sexuelles. Expliquez-lui posément que vous ne ferez plus l'amour tant qu'il n'aura pas modifié son comportement.

Nous renfermons tous une certaine dose d'intolérance, ce qui nous différencie c'est le moment où nous l'exprimons, soit notre seuil de tolérance.

Vous considérez que l'affirmation de soi est une forme d'égoïsme. Permettez-moi de préciser ces deux notions afin de vous montrer qu'il n'en est rien. L'*égoïsme* caractérise une personne qui désire recevoir sans jamais donner. L'*affirmation de soi* n'exclut pas le don de soi. Un individu qui ose s'affirmer est quelqu'un qui est capable de donner mais qui considère avoir aussi le droit de recevoir. Une relation doit être perçue comme un échange, comme une réciprocité.

Une femme qui travaillait huit heures par jour vint me consulter au sujet d'un différend l'opposant à son mari. Elle avait demandé à ce dernier de l'aider à faire la vaisselle. Celui-ci avait objecté qu'il s'agissait d'une tâche féminine et lui avait opposé un refus catégorique. Elle m'expliqua que travaillant toute une journée elle considérait qu'il était logique que son époux s'acquitte d'une partie des corvées ménagères. Elle s'inquiétait toutefois de savoir si son comportement ne dénotait pas un certain égoïsme. Je la rassurai en lui affirmant que son raisonnement était parfaitement logique. Elle n'était pas égoïste, elle revendiquait ses droits. Je lui conseillai d'annoncer à son mari que puisqu'il n'acceptait pas de faire la vaisselle, elle ne préparerait plus les repas. Le mari s'obstina et le couple prit désormais ses repas au restaurant. Suivant mes conseils, ma cliente commandait à chaque fois les plats les plus onéreux. Après quelques séances de homards et de foie gras, le mari comprit qu'il ne serait pas capable de mener longtemps un tel train de vie et il capitula. Ma cliente prépare désormais les repas et son mari participe à la vaisselle. Il n'y avait eu ni cri ni larme. L'humeur de ma cliente s'améliora et le couple n'eut qu'à se féliciter de l'évolution de leurs relations.

Il est inutile de provoquer des drames pour s'affirmer. L'important n'est certes pas de se montrer désagréable mais d'obtenir des résultats. Ménagez-vous la possibilité de hausser le ton si nécessaire.

Cette tactique est-elle efficace ? J'ai déjà reconnu

qu'elle ne réussissait pas dans tous les cas. Je dois toutefois ajouter que le taux de réussite est élevé. Si vous avez de bonnes raisons de vous plaindre, si vous vous affirmez sans amertume mais avec fermeté, si vous poursuivez votre guerre froide le temps voulu, vous serez surpris par les résultats enregistrés. Personne n'est heureux de briser son mariage. La plupart des individus modifieront leur comportement avant d'en arriver là.

Si votre religion vous interdit d'envisager la solution du divorce et de la séparation, vous serez contraint de tolérer un plus grand nombre de frustrations. Apprenez à faire preuve d'une plus grande résignation, prenez vos frustrations moins à cœur et espérez que votre bonne volonté finira par porter ses fruits.

La question morale

Je comprends parfaitement vos réticences à rendre le mal pour le mal. Vous êtes un être sensible et vous avez le sentiment qu'une telle attitude n'est pas respectable. Ne perdez pas de vue que si vous êtes amené à adopter ce comportement, c'est en raison des frustrations que vous impose votre partenaire. Vous avez essayé de recourir aux méthodes douces et ce en pure perte. Vous avez essayé de le raisonner, vous avez fait preuve de patience, vous avez tendu l'autre joue, vous avez fait tout ce qui était en votre pouvoir ; il n'en a tenu aucun compte. Allez-vous continuer indéfiniment à vous montrer passif et tolérant ? Ne comprenez-vous pas qu'en agissant ainsi vous encouragez — vous renforcez — son comportement ?

130

Il est juste de s'opposer au mal. Si vous voulez modifier le comportement inacceptable d'un individu, vous devez commencer par cesser de le récompenser. C'est le principe critique sur lequel se fonde toute mon argumentation. Les méthodes douces ne sont efficaces qu'avec des personnes mûres et équilibrées.

Il est indispensable de sanctionner un comportement inacceptable pour réussir à le modifier. Il n'y a rien de répréhensible à faire naître un malaise chez une personne qui s'obstine à nous frustrer. S'il est vrai que la gentillesse et l'amabilité contribuent à renforcer un comportement, il est tout aussi vrai que la frustration contribue à l'affaiblir. Vous n'en êtes peut-être pas conscient mais vous rendez service à votre partenaire en ne tolérant plus ses attitudes inconsidérées. Il vous trouvera peut-être mesquin et injuste, mais si votre résistance vise à lui faire perdre une mauvaise habitude, vous aurez en définitive rendu le bien pour le mal.

Si vous refusez de ranger la chambre de vos enfants pour leur apprendre à être plus ordonnés, les frustrez-vous ou leur rendez-vous service ? Il est certain que vous provoquez chez eux une certaine frustration en les obligeant à faire un effort, mais ne croyez-vous pas qu'ils auront acquis une certaine maturité, s'ils tirent la leçon de cette frustration ? Le malaise temporaire que vous aurez créé se sera donc avéré enrichissant à long terme. C'est cela qui importe. Vous leur aurez rendu service et votre entêtement apparaîtra comme une preuve d'amour.

Si vous considérez la situation sous cet angle, vous reconnaîtrez j'en suis sûr que faire preuve de passivité et de tolérance envers quelqu'un qui se conduit mal est un acte *immoral* car cela le conforte dans sa position. N'en déduisez pas toutefois que votre comportement devient immoral à partir du moment où vous commencez à rendre le mal pour le mal. Votre motivation n'est pas l'égoïsme mais le souci de bien faire. L'acte est peut-être le même mais l'*intention* est totalement différente ; elle se situe sur un plan supérieur.

Il est grand temps que vous acceptiez votre droit à l'affirmation. Et, si l'affirmation ne donne pas les résultats escomptés, que vous osiez vous montrer agressif. La différence entre ces deux démarches est considérable. Par l'affirmation, vous marquez votre intention d'obtenir ce que vous désirez sans force ni violence ; par l'agressivité, vous indiquez votre volonté d'obtenir ce que vous désirez par tous les moyens à votre disposition — fût-ce la force ou la violence.

Vous m'objecterez qu'il doit exister un meilleur moyen d'arriver à ses fins que de recourir à des démarches de plus en plus extrêmes, allant jusqu'à culminer dans la violence. Je suis au regret de devoir dire qu'il n'en est rien. Voici en substance une consultation classique avec un client dont le mariage bat de l'aile.

Je lui fais remarquer pour commencer qu'il est toujours possible de tolérer de bonne grâce une situation désagréable. Si vos efforts n'aboutissent à rien, résignez-vous. Mon client m'affirme que la situation a atteint un stade critique et que cette solution n'est plus acceptable. Je lui suggère donc de protester. Il m'objecte que cela a quelque chose de déplaisant et qu'il ne désire pas s'abaisser au niveau de son partenaire. Je lui fais remarquer que si la situation est vraiment intolérable, il lui reste la solution d'y mettre fin en divorçant ou en quittant son conjoint. Voilà qui est inconcevable ; que ce soit pour des raisons de religion, de bienséance ou d'amour-propre. Voilà qui réduit également le champ d'action. Je conseille donc à mon client de tolérer la situation *avec* arrière-pensée, mais de s'attendre à devoir assumer les problèmes émotionnels qu'une telle attitude ne manquera pas de susciter. Mon client ne considère pas cette perspective d'un très bon œil et j'enchaîne très sérieusement en lui suggérant de tolérer la situation sans arrière-pensée. Il se récrie et me rappelle qu'il m'a déjà dit que c'était impossible. Je l'amène quant à moi à reconnaître que nous sommes prisonniers d'un cercle vicieux. J'ai suggéré quatre solutions à son problème. Mon client, après mûre réflexion, reconnaît qu'il n'en existe pas d'autres. De quatre maux, il lui faut donc choisir le moindre. Celui qui s'avère le plus efficace est, je le répète, l'option 2 : la protestation. C'est également l'un des plus orageux.

L'arriération morale

Considérons cet extrait du premier Epître de saint Paul aux Corinthiens (13 : 4-7) :

> « L'amour prend patience, l'amour rend service,
> il ne jalouse pas, il ne plastronne pas, il ne s'enfle pas d'orgueil,
> il ne fait rien de laid, il ne cherche pas son intérêt,
> il ne s'irrite pas, il n'entretient pas de rancune,

il ne se réjouit pas de l'injustice,
mais il trouve sa joie dans la vérité.
Il excuse tout, il croit tout, il espère tout, il
endure tout.
L'amour ne disparaît jamais. »

Existe-t-il plus belle définition de l'amour ? Imaginez ce que serait le monde si chacun adhérait à cette conception de l'amour. Il serait beau, majestueux et rempli d'espoir. Un individu raisonnable, équilibré et qui n'est guère perturbé fera sans hésitation de cette définition une ligne de conduite. Cet épître sera toutefois lettre morte pour un être perturbé et immature. Il est un autre type de personnes qui ne sera pas sensible à cette vision de l'amour : les arriérés moraux.

Des arriérés moraux sont, selon ma définition, des individus qui n'ont pas la maturité morale qui correspond à leur âge et à l'expérience qu'ils devraient avoir de la vie. On évalue le quotient intellectuel des gens, il serait également intéressant d'évaluer leur quotient moral. Les philanthropes obtiendraient un score élevé contrairement aux êtres mesquins et à ces individus pleins de bonnes intentions mais qui n'en font pas moins souffrir leurs proches.

Un arriéré moral n'est pas nécessairement perturbé ou arriéré sur le plan intellectuel. Il s'agit souvent de quelqu'un d'intelligent, d'éduqué, et qui possède un assez bon contrôle de ses émotions. Ils sont toutefois très déficients au niveau du développement moral. La règle 2 se révélera totalement inefficace avec ce genre d'individus. Vous ne vous ferez entendre d'eux qu'en appliquant avec fermeté la règle 3.

Il existe de multiples exemples d'arriération

morale, mais le plus évident et le plus choquant est le préjudice moral dont ont toujours été victimes les Noirs et les femmes, par exemple. Les Noirs et les femmes ont été victimes d'injustices intolérables de la part d'individus par ailleurs respectables, dans une société à dominance blanche et patriarcale. Les partisans de l'esclavage et de la discrimination ainsi que les nombreux « mâles » qui s'imaginent toujours être le « sexe fort » sont souvent des êtres normaux, équilibrés et sains d'esprit. Ils n'en violent pas moins les droits civils de millions d'individus. S'ils sont si équilibrés, pourquoi agissent-ils ainsi qu'ils le font ? Parce que, sur ce plan, ils souffrent d'arriération morale. Ils ne perçoivent pas l'immoralité de leur comportement. On ne leur a pas enseigné à se mettre à la place des autres.

Il est hors de question de raisonner, de faire preuve de patience et de tendre l'autre joue avec de tels individus. Nous n'avons pas à souffrir de leur arriération morale. Nous pouvons en revanche nous employer à leur évolution. De quelle manière ? *En opposant à leur comportement déplaisant un comportement déplaisant.*

Considérons l'exemple de cette jeune femme qui avait subi pendant des années les mauvais traitements d'un père alcoolique. Elle finit par ne plus éprouver le moindre sentiment pour cet homme. Elle en arriva à se désintéresser de lui. Elle lui pardonna mais refusa d'avoir encore le moindre contact avec lui. Son rejet était-il acceptable sur le plan moral ? J'affirme que oui. Cet homme méritait d'être délaissé. Cette jeune femme a eu raison de ne pas le détester, il n'en valait pas la peine. C'était un être humain qui avait des problèmes, que personne n'avait été capable d'aider et qui n'avait rien fait pour s'améliorer.

Comparez l'exemple ci-dessus au cas de cette dame qui vint me trouver en se plaignant que son mari la maltraitait — tant sur le plan affectif que physique. Elle refusa de lui imposer la moindre punition sous prétexte que : « Il n'est pas responsable ; ses parents l'ont maltraité alors qu'il était enfant ». Ce sentiment paraît noble à première vue. Il est en réalité névrotique. Cette dame manque de respect de soi. Des individus qui réagissent de la sorte ont en général un piètre opinion d'eux-mêmes. Ils acceptent les pires injustices parce qu'ils sont convaincus qu'ils ne méritent pas mieux.

Les obstacles à la pratique de la règle 3

Certaines personnes sont tellement malheureuses en ménage que la seule solution raisonnable serait la séparation ou le divorce. Elles sont toutefois incapables de l'envisager.

Je me souviens d'un homme qui était jaloux comme un tigre. Il imposait sa loi à sa femme au point de la rendre extrêmement malheureuse. Il réussit — à force de lui imposer ses volontés — à la convaincre que le divorce était une institution immorale et inacceptable. Il avait donc beau jeu de frustrer son épouse, celle-ci n'imaginait même plus qu'il fût possible de le quitter. Cet homme avait *carte blanche,* sa femme ayant renoncé à l'arme ultime. Elle ne disposait d'aucun moyen de l'amener à modifier son comportement.

Certains refusent d'envisager le divorce parce qu'ils s'imaginent qu'une séparation serait un signe extérieur d'échec. Peu importe que votre mariage dure une semaine ou cinquante ans. L'essentiel est d'être heureux pendant ce laps de temps. Si vous cessez d'être heureux, si votre relation n'est plus satisfaisante : n'insistez pas ! L'échec n'est pas le fait de mettre un terme à une relation, l'échec c'est : poursuivre une relation qui n'est plus ni désirée, ni désirable.

Il est grand temps que nous apprenions à réfléchir avec notre tête plutôt qu'avec notre cœur. Je suis convaincu qu'il y a des moments où nous ne tenons pas à être raisonnables. Nous sommes parfaitement d'accord pour laisser nos sentiments dicter nos actions. Aucun être sensé ne prétendra que nous devions avoir à tout instant la logique d'un ordinateur. La vie manquerait de saveur.

Voulez-vous savoir qui détient les rênes du pouvoir dans une relation ? La réponse est simple. La personne qui aime le moins. Dès qu'une relation prend trop d'importance pour vous, vous êtes prêt à accepter maints sacrifices pour la préserver. Vous avez une plus grande autonomie si vous êtes plus détaché. Vous pouvez vous permettre de dire à un partenaire inconsidéré : « Si tu ne modifies pas ton comportement, je te quitterai ». Si vous êtes amoureux fou, il y a peu de chance que vous couriez le risque d'être pris au mot. C'est regrettable, mais c'est la vie.

Il existe aujourd'hui une tendance à considérer que la plupart des difficultés qui surgissent au sein d'un couple sont dues en fait à des problèmes de communication. Je suis en désaccord total avec cette théorie. Il arrive souvent qu'un couple discute de ses frustrations, chacun exposant ses griefs à l'égard de l'autre.

Cela ne supprime pas leurs différends pour autant. Est-ce parce qu'ils ne se comprennent pas ? Certes pas. Ils se comprennent parfaitement, mais n'acceptent pas le point de vue de l'autre. C'est une situation fréquente entre les individus et les gouvernements. Il est un point capital que nous devons comprendre : *nous devons être d'accord de n'être pas toujours d'accord.* Il est naïf de croire qu'à force d'explications et de discussions nous réussirons à nous faire comprendre et à faire accepter nos idées.

George avait toujours été un homme « bien ». Il était persuadé que la sainteté était un état accessible à force d'efforts et de persévérance. Or, c'était une qualité qu'il vénérait plus que toute autre. Personne ne fut surpris lorsque George entra dans les ordres. Il eut ainsi l'occasion de se consacrer pleinement à son idéal. Son charme, son intelligence et sa générosité lui acquirent le respect et l'amour de nombreuses personnes tant au sein qu'à l'extérieur de sa congrégation. Il remplissait toujours son église et sa popularité était incontestable au même titre que la qualité de son œuvre. Pourquoi alors éprouva-t-il le besoin de venir me consulter ?

George n'aimait plus son épouse. Cette évolution avait été progressive et il avait été incapable de l'entraver. Il lui arrivait de songer avec une telle insistance au divorce que ses propres pensées le choquaient. Il était perturbé au plus profond de son être de constater combien il lui était facile de se détacher de June, son épouse depuis quinze ans. Il en éprouvait un sentiment de culpabilité. Ne s'était-il pas engagé à l'aimer jusqu'à la mort ? George était conscient que non seulement un divorce aurait un effet désastreux sur sa carrière mais encore que cela constituait une solution inacceptable sur un plan éthique.

George désirait que le comportement de sa femme se modifie, ou le sien ou les deux. Il s'y était employé ardemment, mais ses efforts étaient restés vains. June était une jeune fille gaie et enjouée lorsqu'il l'avait épousée. Au fil des ans, son attitude se modifia. Plus les églises confiées à George devenaient importantes plus June perdait de sa joie de vivre. Elle devenait de plus en plus rigide. Elle se mit à rechercher la perfection en tout pour surmonter ses sentiments d'insécurité. Elle exigeait des enfants parfaits, un époux parfait, une maison parfaitement entretenue, etc. Il en résulta qu'elle devint un être qu'il était très difficile d'aimer et avec lequel il était pénible de vivre.

George m'expliqua au cours de notre première consultation comment il avait abordé son problème.

« J'ai d'abord essayé d'ignorer ses exigences. Cela donnait parfois des résultats acceptables. Dans d'autres circonstances, je n'arrivais à rien. June et moi finissions par nous disputer. Je perdais mon calme et je lui faisais des remarques désobligeantes. J'en éprouvais ensuite un sentiment de culpabilité. Je n'aimais pas me comporter ainsi. »

George et les enfants en arrivèrent à surveiller le moindre de leurs gestes afin d'éviter les critiques et les reproches. Ils réussissaient ainsi à préserver la paix la plupart du temps. L'un ou l'autre se rebellait de temps à autre contre la « tyrannie » maternelle, mais un jour ou deux suffisaient à calmer les esprits, et tout le monde se soumettait à nouveau aux exigences de June.

Il ressortait des propos de George qu'il avait utilisé

les protestations verbales pour ramener son épouse à la raison. June connaissait parfaitement ses griefs, mais elle ne les acceptait pas. George trouvait normal que les enfants soient parfois en retard pour dîner et qu'ils obtiennent des notes moyennes à l'école — tout le monde n'est pas premier de la classe. Il estimait logique de prendre le temps de plaisanter avec ses ouailles après la célébration eucharistique. June considérait qu'il se discréditait à leurs yeux en se montrant trop familier. Cette famille n'avait pas de problème de communication. Tout le monde savait ce que pensait l'autre. La tension naissait de leurs désaccords.

Il me paraissait évident que George avait recouru trop longtemps aux méthodes aimables et patientes de la règle 2 pour modifier le comportement de sa femme. Il se répétait indéfiniment comme si sa femme ne le comprenait pas.

Thérapeute : Pourquoi n'admettez-vous pas qu'elle refuse de comprendre votre point de vue ? Allez-vous passer votre vie à lui exposer vos positions ? Elle les connaît.

Client : Je crois que vous avez raison. Dieu sait que j'ai exposé mes vues de toutes les manières possibles et imaginables. Je ne sais vraiment plus quoi dire pour la convaincre.

T : Pourquoi ne renoncez-vous pas à vos arguments logiques ? Cessez de vous montrer patient et aimable. Adoptez une attitude plus ferme.

C : Vous ne voulez quand même pas que je la frappe ?

T : Certes pas ! Du moins pas physiquement. Je crois pourtant qu'il est grand temps que vous agissiez un peu plus et que vous parliez un peu moins.

140

C : Mais que dois-je faire ?

T : Je ne vous connais pas suffisamment, vous et votre femme, pour savoir sur quelle corde sensible vous pouvez agir.

C : Mais je ne tiens pas à jouer avec les sentiments de ma femme. Je tiens au contraire à ce qu'elle se détende, à ce qu'elle soit moins obsédée par la perfection, à ce qu'elle prenne plus de plaisir à vivre.

T : Je suis parfaitement d'accord avec vous. Ce que vous dites est sensé. Il y a toutefois des années que vous utilisez la méthode douce. Quels résultats a-t-elle donnés ?

C : Aucun, je le concède.

T : N'est-il pas temps que vous adoptiez une stratégie différente et que vous cessiez de renforcer son comportement ? Peut-être que si vous cessiez de...

C : Excusez-moi de vous interrompre, docteur, mais qu'entendez-vous par « cesser de renforcer son comportement » ? Qui renforce son comportement. Je le décourage au contraire de toutes mes forces depuis des années.

T : Votre attitude l'encourage et donc renforce son comportement. Pourquoi croyez-vous qu'elle agisse toujours de la même manière après toutes ces années de protestation ?

C : Ce n'est certes pas parce que je l'y encourage. Vous reconnaissez vous-même que je n'ai cessé de la réprimander.

T : Si un comportement existe, George, c'est qu'il est récompensé. Un comportement qui n'est pas récompensé ou renforcé finit par s'éteindre.

C : Comment est-ce possible ? Je ne l'ai jamais félicitée pour sa morosité. Je ne l'ai jamais embrassée lorsqu'elle criait sur les enfants. Je ne lui ai jamais fait de câlin lorsqu'elle me reprochait d'être trop familier avec mes paroissiens.

T : Je ne remets pas cela en question. Je prétends pourtant que si votre femme affiche ce comportement à votre égard c'est que vous le tolérez. Si tel n'était pas le cas, elle en changerait, ou vous vous résigneriez ou vous vous sépareriez. Puisqu'il n'en est rien, c'est que vous l'encouragez d'une manière ou d'une autre à se comporter de la sorte.

C : Je ne comprends pas comment je pourrais l'encourager alors que je passe mon temps à lui adresser reproches et réprimandes.

T : Je crois que vous venez vous-même de répondre à votre question. Vous n'avez jamais rien fait d'autre que parler. La plupart des gens sont insensibles aux critiques. Elles entrent par une oreille et ressortent par l'autre. Je suppose que vous mettez June mal à l'aise, mais pas suffisamment pour la décider à modifier son attitude.

C : Même lorsque je hausse le ton au point de la faire fondre en larmes ?

T : Répondez donc vous-même à cette question.

C : Pourquoi voulez-vous que je réponde moi-même ?

T : Parce que la réponse me paraît évidente.

C : Vous voulez dire que si son comportement ne se modifiait pas après les crises de larmes c'est qu'il lui procurait plus de plaisir que mes cris ne lui faisaient de peine.

T : C'est exact.

C : Mais d'où tirait-elle ce plaisir ?

T : Son plaisir tenait probablement au fait qu'elle

142

finissait par avoir le dernier mot. Je suppose que lorsque vous aviez fini de crier vous lui cédiez.

C : Je n'avais pas le choix. Si je m'entêtais, elle me rejetait pendant des jours entiers. Elle me privait de son affection et la colère qu'elle éprouvait à mon égard rejaillissait sur les enfants.

T : Je reconnais que cela n'a rien d'agréable et je comprends que vous évitiez de la frustrer.

C : ? ? ?

T : Je maintiens toutefois ma position. A chaque fois que vous ignorez un comportement inacceptable, pour quelque raison que ce soit, il ne se modifiera pas et risquera même d'empirer.

C : Ce que vous dites paraît sensé mais n'est pas facile à accepter. Il faut que je réfléchisse.

Je m'efforçai au cours de cette séance et des suivantes de persuader George de renoncer à convaincre son épouse en la raisonnant et en se montrant tolérant. Il était l'exemple type de l'individu insatisfait par la relation qu'il vivait.

T : Vous devez vous décider à prendre le « taureau par les cornes ». Si vous permettez à June de dicter sa loi, vous deviendrez un insatisfait et tout le monde en pâtira : vous, vos enfants et June elle-même.

C : Je ne vous suis pas. En quoi ma famille aura-t-elle à souffrir si je ne m'oppose pas à ma femme ?

T : C'est simple. Si la situation ne se modifie pas, vous serez constamment au-dessous du PSR. C'est le point de satisfaction raisonnable. Si vous vivez au-dessous de ce seuil, tous vos proches en souffrent.

C : Vous parlez sérieusement ? Mes frustrations rejaillissent sur ma famille ?

T : Je ne parle pas des frustrations mineures qui sont normales. Je fais allusion aux frustrations chroniques ; celles qui s'étalent sur plusieurs mois, sur plusieurs années. Lorsqu'une relation — quelle qu'elle soit — cesse de vous procurer une satisfaction minimum, il se produit trois réactions, George.

C : Lesquelles ?

T : Primo, vous devenez perturbé, vous cédez à la déprime, vous commencez à vous ronger les ongles. Des cauchemars vous assaillent, vous vous mettez à boire ou vous songez à tromper votre femme.

C : Cette dernière idée ne m'a jamais traversé la tête — grâce à Dieu. Mais je dois reconnaître que pour ce qui est du reste... Quelles sont les deux autres réactions ?

T : La deuxième conséquence des frustrations chroniques est dramatique : vous cessez d'aimer votre partenaire — progressivement mais sûrement. La troisième conséquence est la pire : vous vous désintéressez totalement de votre ménage.

C : Je vois. Il semble que j'ai eu ces trois réactions, n'est-ce pas ?

T : Tel est bien mon sentiment, oui. Si vous ne voulez pas que la situation se dégrade plus avant, vous feriez bien de prendre les mesures qui s'imposent.

C : Sans quoi je me détournerai complètement de June et notre mariage sera condamné.

T : C'est exact. Si vous négligez vos désirs et vos besoins fondamentaux, June sera heureuse dans un premier temps, mais vous serez de plus en plus malheureux. Alors, elle commencera à souffrir. Songez un peu moins à sa satisfaction et un peu plus à la vôtre.

C : Et si elle proteste ?

T : Quelle proteste ! Votre question est hors de propos. Peu importe qu'elle soit contente ou non.

144

Tout ce à quoi je vous demande de veiller pour l'instant c'est à vous ramener au-dessus du PSR.

C : Est-ce que je ne risque pas de faire naître une insatisfaction chez June en lui tenant tête ?

T : Bien sûr que si.

C : Mais alors… ?

T : Alors ? Essayez tous deux de recourir à l'option 1 et de tolérer vos frustrations sans arrière-pensée. Ainsi, ne vous souciez pas de ses plaintes. Elle pourra vous rendre la pareille.

C : Je ne suis pas sûr que nous n'ayons pas déjà dépassé ce stade.

T : Je crois que cela ne fait pas le moindre doute. Je vous conseille donc de déclencher une guerre froide jusqu'à ce que vous obteniez satisfaction. C'est-à-dire, jusqu'à ce que June fasse les concessions qui vous permettront à nouveau de l'aimer.

George commençait à comprendre ma démarche. Il était en accord avec moi, en principe. C'est la mise en pratique de ma stratégie qui le perturbait plus. Etre désagréable envers son épouse allait à l'encontre de sa nature généreuse.

C : Je ne sais comment vous dire à quel point vos suggestions me perturbent. L'idée de m'abaisser au niveau immature de June me révolte. Son attitude est trop déplaisante pour que je l'adopte moi-même.

T : Je comprends vos sentiments, George. Voyez donc le problème sous un autre angle. Si, en adoptant l'attitude déplaisante de votre épouse, vous réussissez à modifier son comportement, qu'aurez-vous perdu ? Rappelez-vous : vous avez recouru à la logique, à la raison et à la patience. Vous avez en quelque sorte essayé d'élever June à votre niveau. Quel résultats avez-vous obtenus ? Son comportement n'a fait qu'empirer et vous êtes plus malheureux que jamais.

C : Vous avez raison.

T : Vous avez donc tout à gagner en vous abaissant à son niveau. Parlez son langage et peut-être alors réussirez-vous à faire passer votre message.

C : Je ne suis pas sûr d'y parvenir.

T : Pourquoi dites-vous cela ?

C : Parce que cette tactique engendrera une tension telle que la situation ne pourra que se détériorer plus encore. Si notre mariage ne s'est pas encore brisé c'est parce que j'ai toujours cédé à ses exigences. Si j'avais agi différemment, elle aurait été furieuse ce qui m'aurait mis en rage et j'aurais tenu des propos durs qui auraient dépassé ma pensée.

T : Oh, je comprends vos réticences. Vous vous imaginez que répondre à la colère par la colère revient à jeter de l'huile sur le feu.

C : C'est le cas.

T : Mais je ne tiens nullement à ce que vous vous mettiez en colère en essayant de faire naître en elle un malaise.

Je lui ai ensuite exposé en détail la psychologie de la colère. Je lui ai expliqué que :

1. Personne ne peut se mettre en colère si ce n'est de lui-même.

2. On se met en colère parce qu'on s'imagine que les « choses » doivent se dérouler dans le sens qui nous convient ;

3. Parce qu'on considère que les gens qui nous frustrent sont méchants.

4. On s'imagine à tort que pour modifier le comportement d'autrui, il faut se montrer intolérant et haineux.

146

Nous sommes convenus que la première phase de notre stratégie consisterait à ignorer les colères de June. Nous avons reconnu qu'elle risquait de ne pas apprécier cette attitude et de créer de nouvelles tensions. J'insistai toutefois sur le fait que si George demeurait poli et réservé en dépit de ses protestations, June comprendrait qu'il ne plaisantait pas.

Je le conseillai au cours des semaines suivantes sur les moyens de frustrer son épouse... en douceur. Ainsi, si elle faisait un achat plus onéreux que ce qu'ils avaient projeté, il devait le faire rapporter au magasin. Si elle refusait de rendre visite à ses parents, il devait refuser de rendre visite aux siens.

Elle avait la fâcheuse habitude de le faire attendre lorsqu'ils avaient un rendez-vous ce qui les mettait toujours en retard. Je lui conseillai de partir sans attendre son épouse lorsqu'il estimait avoir attendu trop longtemps. Il lui laissait la voiture et elle pouvait l'utiliser pour le rejoindre sur place. Il n'était pas question de se disputer. Il pouvait lui sourire, lui faire la bise et lui dire : « A bientôt, ma chérie », avant de s'en aller... seul.

C : Ce fut une expérience horrible. Je déteste me montrer aussi mesquin. Moi, un ministre du culte, j'agissais comme un goujat. Je dois toutefois reconnaître que cette stratégie porte ses fruits. Vous m'avez dit que June ne me respectait pas. La situation évolue et j'en suis ravi. Si j'avais connu cette tactique plus tôt, je n'aurais jamais laissé notre couple se détériorer ainsi.

T : Comprenez-vous pourquoi vous étiez aussi passif ?

C : J'ai réfléchi à cette question, Dr Hauck, et je crois qu'il y avait deux raisons à cela. Primo, je ne voulais pas mettre mon ménage en péril. Après tout, je suis un homme d'église et en tant que tel je suis censé donner l'exemple. Imaginez le bel exemple si j'en étais arrivé à divorcer.

T : Et quelle était votre seconde raison ?

C : La deuxième est plutôt une question de principe. On m'a toujours enseigné que l'amour faisait crouler des montagnes. Si autrui nous fait souffrir, nous devons l'aimer et l'accepter jusqu'à ce qu'il devienne plus aimable.

» Je comprends désormais qu'un amour inconditionnel risque d'engendrer des crises affectives, tandis que si nous nous montrons fermes avec les êtres qui nous sont chers, nous leur donnons la plus belle preuve d'amour qui soit. Nous adoptons cette attitude avec nos enfants, pourquoi n'agirions-nous pas de même avec les adultes ?

T : Je n'aurais pu dire mieux.

June fut tellement choquée de toutes ces idées « saugrenues » qui émergeaient de la thérapie de son époux qu'elle prit contact avec moi. Elle désirait reprendre la situation en main, semble-t-il. Je lui accordai six séances en privé, puis quelques unes avec George.

Les résultats furent plus que satisfaisants. George se montra moins tolérant à l'égard du comportement inacceptable de June parce qu'il ne craignait plus désormais qu'elle le quitte. L'estime de June pour son mari s'en trouva renforcée. Elle appréciait sa fermeté. Tous deux furent surpris par cette constatation. George tira les leçons de son expérience et les appliqua tant à l'éducation de ses enfants qu'à l'administration de sa paroisse.

Il incorpora ses nouvelles conceptions de la coopération, du respect et de l'amour dans quelques sermons.

C : Ce ne fut pas simple de conseiller à mes paroissiens d'exprimer leur amour avec fermeté car je savais qu'ils s'imagineraient que je prônais la vengeance et qu'ils ne me suivraient pas dans cette voie.

T : Je comprends parfaitement votre dilemme. Cela demande beaucoup d'efforts de revoir des idées solidement ancrées. Faire comprendre aux gens que ce n'est pas en donnant inconditionnellement qu'on se fait aimer et respecter…

C : Et que punir une faute est la meilleure manière d'aimer et de se faire aimer… J'avoue que moi-même j'éprouve encore toujours quelques réticences à agir de la sorte.

T : Et cela vous honore ! Les individus mûrs et équilibrés n'apprécient guère de se montrer intolérants. C'est très bien ainsi d'ailleurs. Il ne faut pas en arriver à prendre plaisir à être méchant.

Un point de vue réaliste

Je suis au regret de devoir dire que les conflits sont inévitables en raison de la nature même de l'humanité. Inévitables également la violence, le meurtre et même la guerre. Le seul moyen de prévenir ces drames consiste à appliquer *avec succès* les règles 1 et 2. Cet espoir beau mais vain. Il est improbable que les individus et les nations en arrivent un jour à rendre le bien pour le bien, à faire montre de patience et de compréhension dans les situations difficiles. Il y a tout lieu de croire que les hommes continueront à défendre leurs positions à cor et à cri.

Il est ironique de constater qu'une méthode ayant une valeur thérapeutique aussi riche ait des conséquences fatales si on en abuse. Ainsi que je l'ai montré, il est logique et scientifiquement sain de réprimer des comportements intolérables. Il y a toutefois un équilibre délicat à préserver entre le fait de provoquer un malaise qui décidera la personne à modifier son comportement et celui de la pousser au meurtre. Il ne fait aucun doute que les terroristes doivent être convaincus d'avoir été acculés à leurs positions extrêmes par une société sourde à leurs plaintes. Ils prétendront que leurs méthodes étaient inévitables, toutes les autres ayant échoué.

La violence se justifie-t-elle parfois ? Des actes violents peuvent-ils être moraux ? Nous pourrions prétendre que la violence est un acte moral si elle permettait de mettre un terme à la violence. Notre seul espoir de vivre dans un monde sain est d'avoir des dirigeants pénétrés d'un sens moral aigu. Si les « bons » prédominaient, nous n'aurions à appliquer la règle 3 que de manière parcimonieuse. Lorsque les « méchants » prédominent, nous sommes réduits à vivre dans un monde de terreur, de guerre et d'enfer. La règle 3 n'est pas condamnable pour autant, c'est la manière dont elle est appliquée qui l'est. C'est pourquoi je conseille de ne l'utiliser qu'en dernier ressort. Appliquée avec amour, elle favorise les relations harmonieuses. La règle 3 est bien souvent notre « dernière chance ».

CONCLUSION

Ecrire ce livre correspondait pour moi à un besoin profond. J'ai traité de nombreux individus qui avaient des problèmes de relations et qui en souffraient. Les plus grandes souffrances que j'ai rencontrées touchaient des personnes malheureuses dans leur profession, au sein de leur famille ou au cœur de leur couple. Je me suis efforcé de comprendre les causes de ces insatisfactions. C'est ainsi que j'en suis arrivé à formuler ma théorie de la réciprocité de l'amour et celle du mariage-contrat ainsi que les trois règles pour s'assurer la coopération, le respect et l'amour.

J'ai vu la vie de bien des individus se modifier lorsqu'ils regardaient la vérité en face et qu'ils acceptaient de suivre ces règles à chaque fois et aussi longtemps que nécessaire. Je sais que vous êtes, vous aussi, capable d'assumer les frustrations, de modifier le comportement des autres, et de retrouver un certain degré de bonheur.

N'oubliez jamais que l'excès nuit en tout. Un excès d'abnégation causera du tort à ceux que vous aimez. Souvenez-vous de cette maxime latine : « *Bene amat, bene castigat* », « Qui aime bien, châtie bien. » Elle renferme une vérité précieuse.

Un amour sain requiert que vous donniez à votre partenaire tout ce dont il a *besoin*, et non tout ce qu'il désire. Nous avons tous besoin de satisfaction physique et d'un toit au-dessus de nos têtes. Nous avons également besoin d'être fermes envers les autres, de faire face à l'adversité, de relever des défis, de prendre des risques et d'affronter la vie les mains nues. Donner est sans conteste un geste d'amour. Ne pas donner — sans éprouver pour autant de ressentiment — est parfois un plus beau geste d'amour.

La vie vous apprendra à aimer et à vous faire aimer.

Achevé d'imprimer en juin 1984
sur presse CAMERON,
dans les ateliers de la S.E.P.C.
à Saint-Amand-Montrond (Cher)

Dépôt légal : juin 1984.
N° d'édition : CNE section commerce et industrie, Monaco, 19023
N° d'impression : 663-445.

Imprimé en France